Gustav Gorky

by Erhard Dietl

高尔奇星球

初来地球

[德国] 埃哈特·迪特尔 著

王丽丽 译

译林出版社

来认识一下我吧！

活动脑盖
减速喷嘴
充电包
黑色激光枪
飞行鞋
控制器

我叫古斯塔夫·高尔奇，是一位星际记者，在高尔奇星球的《大爆炸》杂志社工作。我有很多在地球人看来不可思议的能力。我长着一只长长的鼻子，能撒出无数金色的小星星；身体能变形，手臂会伸缩。此外，我还有一双飞行鞋，这样我就能在空中飞翔啦！

我们的高尔奇语和地球语完全相反。所以，我们只需把地球语输进大脑，就能掌握你们地球人的语言啦。

高尔奇语的顺序和地球语刚好相反。只要把每句话从后往前读，你就会发现窍门啦。

举两个简单的例子吧：

1. 嗨，大家好！我是古斯塔夫·高尔奇。

译成高尔奇语就是：

。奇尔高·夫塔斯古是我！好家大，嗨

2. 。历经险冒的上球地在我是的讲书本这

译成地球语就是：

这本书讲的是我在地球上的冒险经历。

书里的插图都来自我的脑瓜，我用手把它们画在了地球人的纸上。

打开孩子想象力的大门

宣慧敏（童书编辑、阅读推广人）

我来自高尔奇星球，很高兴认识你！

古斯塔夫·高尔奇是一个爱好和平的小外星人。作为一个星际记者，他了解很多星球和星系，需要经常出差。可提到地球，他就不大乐意去了。地球在整个宇宙中的名声不太好，大家都说地球人又笨又好斗，科技落后还执拗。但是古斯塔夫是被派去工作的，他没法选择。

让人意想不到的是，古斯塔夫来到地球后，在一次次的历险中看到了地球人善良、有趣的一面。

古斯塔夫原名Y3，他的同事Y9前往地球工作，不料在地球上失联了。于是杂志社指派Y3去调查Y9的下落。高尔奇人对地球这个“落后”星球的了解并不多，再加上Y9在地球上失踪，初到地球的Y3可谓是草木皆兵，对地球上的东西都充满敌意。所幸他最先遇到的地球人是善良的布家人。他们不但收留了Y3，还给他取了个地球人的名字——

古斯塔夫·高尔奇，昵称“小古斯”。小古斯就这样跟着布家人开始了精彩有趣的地球之旅。

《高尔奇星球》系列是一套适合小学生的入门科幻小说，能满足他们的好奇心，激发他们的想象力，让他们对科幻产生最初的向往和喜爱。孩子的想象力在小学阶段最强大，因此书中新奇有趣的设定对他们来说有巨大的吸引力。比如，高尔奇星球的语言顺序和地球语言相反，需要从后往前读，很多国外家长反映，倒着读高尔奇语让孩子欲罢不能。还有，把外星人的脑袋盖打开输入信息的描写也充满了童趣和幻想。

当然，科幻不能只是幻想。作者在天马行空的想象的基础上，加入了不少随着科技发展可以在不久的将来实现的技术，将“科技改变生活”的想法传递给孩子。比如小古斯通过交换两种食物的成分发明出口味更好的食物，让新款机器人将被撞坏的汽车修复得完好如初，等等。善用科技可以大大方便我们的生活。将这种理念从小根植在孩子心中，也许能培养出未来的科学家。

小古斯初到地球就遇到一系列困难，但他一次次用科技化险为夷，善良的地球人也屡次向他伸出援手。小古斯渐渐改变了对地球的看法，发现这个“落后”的星球也有独特的可爱之处。地球人喜欢美食，喜欢做一些在外星人看来没有意义的事情。小古斯在与地球人相处的过程中，发现这些

“没有意义的事”是对生活的享受。但这些行为有时候会造成各种麻烦，这时就需要古斯塔夫拿出高尔奇人的冷静和理性了。他遇到问题时，总能用客观的态度去研究和解决。

另外，小古斯对地球人的看法也值得每个人思考，孩子们可以试着站在旁观者的角度反思人类自身。故事里，外星人觉得一些地球人习以为常的事很奇怪，比如把钱看得很重，盯着手机屏幕一看就是好几个小时，等等。这样的质疑和思考可以起到一些教育作用，有助于孩子养成独立思考的习惯。

除了故事能拓展孩子的思维，这套书语言幽默搞笑，能让孩子轻松阅读。小外星人诙谐的叙述和色彩明丽、充满童趣的插画相得益彰。作者画出了语言所无法描述的高尔奇人的外貌——跟地球人有点像，却又不那么像，身上还戴着各种各样的高科技装备，一下子就勾起了孩子的好奇心。

《高尔奇星球》的作者埃哈特·迪特尔已出版一百多本儿童读物，他不仅在德国家喻户晓，在全世界也颇负盛名，曾荣获众多奖项，例如奥地利青少年读物奖等。他创作的人物总能给小读者带来欢笑，小外星人古斯塔夫·高尔奇不仅让孩子们的阅读充满趣味，还让他们从小对浩瀚的宇宙产生好奇心和探索欲。

目 录
Contents

第1章　苦差事

当时的情况非常糟糕。我躺在实验室的桌子上，没有胳膊没有腿，动也不能动。因为我变成了一根黄瓜。

黄瓜自然没有眼睛，幸运的是，我还能用雷达感知周围的一切。

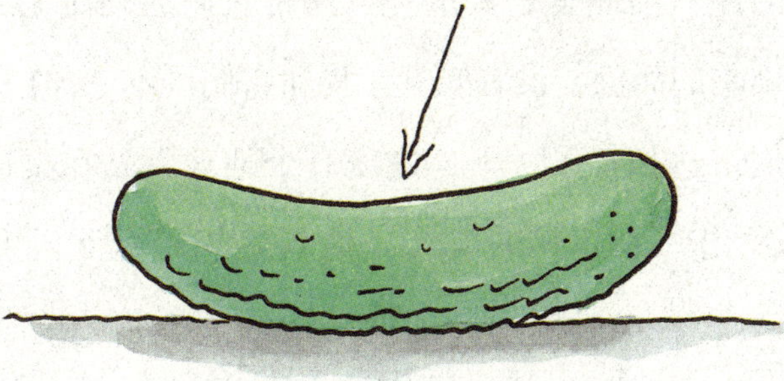

冰冷的空气像千万根针，扎得我浑身难受。我的脑子一团糨糊，连脑袋中的电路板也结了冰。要说我是根冰冻黄瓜，也没人会怀疑。

折腾了半天，我才慢慢冷静下来。是死是活就在这一刻了，我索性激活了所有的能量储备。

怎么还是不行呢?

要从黄瓜变回原来的样子，需要清醒的脑袋瓜和坚定的意志力。好吧，继续努力!

一个个念头闪过我的脑海。集中精力变形！就在这时，我的电池发出了警报。糟糕，偏偏赶在这时候快没电了!

“！霉倒真”①

在高尔奇星球上，我学过如何应对紧急状况。唉，真是白学了！一点儿也派不上用场！不过眼下的情况确实有点特殊，训练课上没学过，我也没遇到过。

我的左右两侧全是黄瓜。当然，它们的死活无所谓，只是一堆吃的而已，没有知觉。我和它们可不一样!

我用雷达扫描了一下，发现有个地球人站在桌边。他的身体发出一股超强的电波。他到底想干什么？我好害怕！说实话，我最搞不懂的就是地球人。以前有人警告我：“和地球人打交道，要处处小心！”我根本没把这话放在心上。唉，现在后悔也晚了！宇宙中怎么就没有卖后悔药的呢!

---

① 高尔奇语。从后往前读，便可“翻译”成地球语言。

这个地球人肯定是个大坏蛋！

没准他想一口把我吞下去！

唉，我这个大傻帽儿！

怎么就落入他的手掌心了呢！

完了，完了！我老是胡思乱想，脑袋瓜中塞满了垃圾信息！

头好痛呀！

奇怪！不是只有地球人的脑瓜里，才会有垃圾信息吗？

这个房间凉飕飕的，我的脑瓜子都快被冻成糨糊了！要是再想不出什么法子，恐怕只能等死了。唉，死也死得这么不体面，冰冻黄瓜一根，马上就成地球人的盘中餐，传出去不让宇宙人笑掉大牙才怪！

这个地球人到底想把我怎么样？准没好事！我要是会读心术就好了！

我还不想死！！！

噢，真抱歉，我这人有个坏毛病，有时候说话太快，自顾自地说，也不去想别人有没有听懂。其实吧，这也不能全怪我，是内部程序设计的问题。以后我会注意一下，尽量说得慢点儿。接下来，我会把故事从头到尾讲给大家听。

我的名字是Y3，来自高尔奇星球。高尔奇语是我的母语，但地球上的各种语言我也能说得很棒。看我把故事讲得这么流畅，想必大家早就猜出来了吧。其实来地球之前，我先把地球语言的数据库输进了大脑，之后我就会说啦。简单吧？我们高尔奇人学东西快着哩。

如果我说高尔奇语，估计大家一个词儿也听不懂。要不咱们试试？

"。年光五球地离距里那，球星奇尔高自来我"

用地球语说就是：

"我来自高尔奇星球，那里距离地球五光年。"

对我们高尔奇人来说，五光年根本不算什么，因为我们的飞行器的速度早就超越了光速。

我们的星球不大，准确点儿说，只有地球的一半那么大，但很多外星人喜欢去那儿旅游。那儿天气凉爽，有芳香四溢的森林、14座吐着烟儿的活火山，还有大片大片的紫色田野。这些都是高尔奇星球吸引游客的地方。

我们建了很多飞行器降落场，但空中还是很拥挤，没办法，游客太多了。

这一阵子，我们那儿流行卫露牌踏板车。这玩意儿方便是方便，就是速度太快，老是横冲直撞，害得人天天提心吊胆的。每次碰到这种车，我就躲得远远儿的。

在高尔奇星球上，我有一所小房子。乍一看它很普通，没有很多装饰，但房子里高科技设施一应俱全。房子的地理位置不错，靠近黑色平原，那儿远离喧嚣，非常安静。

因为工作关系，我经常出差去别的星球，每次回到家就懒得动了。这么多年来，我都是一个人生活，就只有一个机器人做伴。它是个很忠诚的小伙伴，叫小马莫步。

机器人小马莫步平时就坐在“惬意厅”门口的一束光上。“惬意厅”是房间的名字，我给每个房间都取了个好听的名字。一进家门，我就能听到小马莫步甜甜的问候。说起小马莫步，我不得不夸一句，它的确是个超级棒的伙伴。我们一起生活这么长时间了，它还从没出过什么技术故障。

机器人小马莫步

除了它，我就没别的伴儿了，或许以后会找一个，谁说得准呢？要找的话，我肯定会找个适合我的。不过话又说回来，一个人生活也挺好的，主要是我的工作很有意思，经常出差去别的星球，总能遇到新奇好玩的事。想知道我是干什么的吗？

星际记者！

听上去是不是很酷？我在高尔奇星球的《大爆炸》杂志社工作，干了很多年了，从没想过跳槽，我打心底喜欢这份工作。做自己喜欢的事，当然不会觉得无聊啦。噢，对了，《大爆炸》杂志其实是电子杂志，读者呢，都是些很有思想的外星人。

杂志的编辑是位女士，非常有魄力。她经常派我们星际记者去别的星球出差。碰到啥好玩的事，我们就写成小报道，用无线电收发机发给杂志社，和亲爱的读者一起分享。

当然喽，宇宙中那么多星球，有的有人住，有的没人住。我喜欢去有人的星球，尤其是那些既有人住，还很暖和的星球。我这人最怕冷。只要气温低于零下15摄氏度，我的脑瓜子就没法正常工作了。我整天盼着编辑派我去暖和点儿的地方，还好我们周围就有很多这样的星球。

闲扯了那么多，现在回归正题。

大家想不想知道，我是怎么变成一根冰冻黄瓜，还躺在地球人的桌子上的?

故事还要从那个星期四说起。

每到星期四，我们杂志社就开例会。像往常一样，我和同事们早早地来到会议室。噢，对了，我先给大家介绍一下吧。

同事Y1有九只眼睛、两个鼻子，非常聪明，主要负责杂志的科技版块。坐我旁边的是Y2，技术部专家，机器人小马莫步就是她送给我的，他们身上的气味都是一样的。还有Y4和Y5，两个人超八卦，于是顺理成章地当上了地方新闻《扯淡》专栏的记者。两人对面坐的是Y7，十足的冒险家，酷爱运动和探险。她的足迹遍布整个宇宙，哪儿危险，她就去哪儿，还没有她征服不了的地方！她绝对是传说中的“女汉子”！Y8还坐在老地方，我想大概从杂志社一创刊，他就霸占了那个地方，以后再没换过。他是我们当中年纪最大的，算是杂志社元老级的人物啦。我和这些同事一起工作好多年了，相处得还不错。

会议桌中间放着一盘小吃，闲着没事，我就用鼻子拿了一些。原来是高尔奇星球的特有食物披油，硬硬的，味道一般。我一边吃，一边浏览主屏上滚动的新闻。

看来看去，今天的新闻也没什么亮点，这个会议怕是要无聊死喽。房间里冷得要命，还让不让人活呀！自打上回小行星撞了高尔奇星球，我们的供热系统就经常瘫痪。真奇怪，怎么不好好修修呢？

我背靠着悬浮椅，在空中飘了一会儿。

我的同事

女编辑人不错，不过是个话匣子，说话没完没了。三言两语说说不就得了？

会议开了好一会儿，我才听她用高尔奇语说：

“。容内要主的议会天今们我下一结总微稍再我许允请，事同的爱亲”

译成地球语就是：

“亲爱的同事，请允许我再稍微总结一下我们今天会议的主要内容。”

接着，她的话匣子又打开了：“如果没搞错的话，我刚才讲的第一点是关于可植入处理器的后续研究……”听到这儿，我又走神了。两个高尔奇小时后，我回过神来，只见她正用激光笔指着屏幕，讲最近的一些计划。

“Y1明天去冥王星。”

一听这个安排，Y1立马舒了口气。

女编辑讲起话来，唾沫星子飞溅。

是啊，冥王星多好呀，既安静又和平，报道的内容永远是好的东西。瞧这活多轻松，真让人羡慕！

“Y2，想不想去金星？”编辑问。

“好啊，这主意不错！”Y2兴奋地说。

真搞不明白去金星有什么好的。请我，我都不去！

“听说金星人在科技方面又有新突破了……”编辑说。

“嗯，我也听说了。要拍些照片吗？还是写篇书面报道就行了？”Y2问。

“最好拍些照片。噢，对了，还要关注下金星人的血浆疗法，看看能不能搜集些这方面的资料……”

“没问题！”Y2兴致勃勃地应了下来。对她来说，去金星算是轻车熟路。她都去过三次了。

接着编辑又说到玻璃星球。她给出差的人提了个醒，让他们千万留神别撞上了那个星球。

“请大家切记，千万不能靠近玻璃星球！别有什么侥幸心理，要是撞上的话，那可不是闹着玩的！”编辑提高嗓门大声说。她的三只眼睛放出像激光一样的光芒，死死地盯着大家，好像生怕我们从她眼前消失了似的。

编辑东拉西扯，漫无边际，害得我只想打哈欠。

过了好一会儿，她终于连线了前方记者Y6。他给我们现场报道了银河周围的情况。

屏幕上的Y6和真人一样大，鼻子翘得老高，都快戳到摄像机里了。

“希望今天高尔奇的天气不错。我是Y6，目前所在的星球是78G，位于银河附近。大家可以看到，我旁边的火山口周围长着许多棕色和蓝色的蘑菇。就在这些蘑菇里面，我们发现了化学物质硫，还有少量的盐结晶。这些岩石小缝隙里还能看到……”

这个星球又没人住，有啥好报道的？我懒得往下听，就闭上眼睛打起了盹。

突然，我听见有人喊我的名字，于是迷迷糊糊地睁开了眼。

“Y3！”编辑喊道，“你觉得这个提议怎么样？”

我一头雾水，根本不知道她在说什么，只好心不在焉地说：“嗯，我看不错，很好……”

编辑指了指屏幕，我抬头一看。我的天哪，是地球！它在黑漆漆的宇宙中闪耀着蓝色和白色的光。

“你想不想去地球？”编辑重复了一遍刚才的问题。

“啊？我？为什么让我去呢？”说实话，我打心眼儿里不想去地球。没错，我很喜欢出差，但我从没想过要去地球！那儿的人在宇宙中名声不太好。听说他们非常危险，很难捉摸，不好相处……在宇宙中，说地球人什么的都有。我可不想冒这个险！

“我们在那儿遇到了点儿小麻烦……”说这话时，她的唾沫星子又飞溅起来，我只好低下头，免得唾沫飞到我脸上。

她继续说：“是这样的，我们的记者Y9前段时间自告奋勇去地球出差。我想他对植物那么感兴趣，可以去地球考察一下，顺便调查调查那儿的人，毕竟咱们对地球人了解不多，道听途说得来的那点儿信息也不一定准确。他去的时候还挺顺利，刚到那儿就发回了一篇关于地球人的报道，没想到之后就突然消失了……”

“啊，还有这回事？”Y2吃惊地喊道。

“是啊，真没想到。我试了好多次，一直联系不上他。”编辑说。

听到这话，大家窃窃私语起来。

“我们要赶紧弄清楚，他到底怎么了。”编辑说，“我现在很担心他。Y3，你做事我信得过，以前你去过那么多星球，也算见多识广，你去找他是再合适不过的了。要不你再考虑一下？”

同事们连忙冲着我点头。看来没人想去地球。这苦差事怎么就落到我的头上了呢？编辑派我去，其他人暗地里肯定偷着乐呢。

说到Y9，我打心眼里不喜欢他。这个马屁精、吹牛大王，老爱抢风头！不过他这次出事，我还真不知道。听编辑这么一说，我觉得Y9一个人在地球上，人生地不熟的，也怪可怜的。

编辑用激光一样的眼神盯着我，焦急地等待着我的

Y9，已失踪

答复。

“最好今天就动身！”她说。

“啊，今天？那也太快了吧？”我吃惊地说。

“嗯！事不宜迟，赶紧找到Y9！噢，顺便再搜集些地球人的信息，例如外貌特征呀，生活习性呀什么的。前段时间，杂志新增了《话说地球》专栏，要赶紧添点新东西才行。Y3，你到实验室那边，找点儿地球的旅行材料带着，就可以出发了。”

“有Y9所在位置的具体坐标吗？”我问。

“这个……还真不清楚，只知道他所在的大概区域。你到了之后，再想想办法吧！”

“嗯，看来也只能这样了。”我小声说。

“对了，记着把地球语数据库输进大脑！”她建议我。

“啊？我们保存过地球语数据库吗？”

“当然了！Y9在失踪前就破译了地球上的语言，还把相关信息发了回来。”

他动作真麻利！这个马屁精，千方百计想讨好编辑呢。

我的脑袋瓜里储存了不下35种语言的数据，不过还有空间。好吧，再存上地球语的，没什么不好的，说不定去了就能用上。

我离开会议室，飞到了大楼底层的实验室。实验室里的光明晃晃的，有点儿刺眼。过了好一会儿，眼睛终于适应了。

实验室里摆放着很多监控器和操纵台。一位助理看见我，便走了过来，热心地询问我有什么需要。我告诉他我要去地球出差，需要地球语数据库。他便带我到了“输入区”，让我坐到传输器下面，掀开我的脑盖，一会儿就把地球语数据库输了进去。

第2章　出师不利撞地球

一切收拾妥当后，我叫了辆太空出租车。不管去哪儿出差，我们都不需要自己开车。去的时候有人送，回来的时候有人接。不错吧！这可是我们星际记者享受的一项特殊待遇哟！

太空车的动力是电磁波，车飞得很快。利用路上的时

我坐在太空出租车里。

间，我检查了一下大脑，拿出《高尔奇周报》扫描了近期的新闻数据，还更新了几个程序。一切准备妥当，我安心地等待降落。我设定的降落地点坐标是地球上的东经11度，北纬48度。这也是Y9大概所在的位置。

这次去地球，除了寻找Y9，我还要搜集地球人的信息。这活儿有点棘手。万一不小心碰上危险分子，我怕自己会吃不了兜着走。不过我也早有准备，随身带了件秘密武器——激光枪。它射程远，而且百发百中，带着它，必要时可以防身。

我打开背包，检查了一下变形开关。这玩意儿可实用啦，轻轻一按，就能让自己变成别的东西。很酷吧！变形好是好，就是太耗能量。接着我又查看了一下背包最底层的电池。电池是新的，非常敏感。

还好，一切正常！

我戴上耳机听着高尔奇音乐，侧着头迷迷糊糊地往窗外看。哇——美丽的银河！无数小星星正调皮地眨着眼睛，不远处还有几颗星星发出耀眼的光，在漆黑的宇宙中显得特别明亮。

一切都是幻觉！银河只是看起来很美，其实暗藏杀机。我对银河太熟悉了。刚想到这儿，就听嗖的一声，一块陨石擦着太空车的边儿飞了过去。好险呀！我顿时吓出了一身冷汗！几年前，就是这样一块陨石撞了我的一个同事的太空车，一下子就把他撞飞了。如果刚才那块陨石撞到太空车上，恐怕我也没命了！现在每次想起这事，我都有点儿后怕。

快到地球了，我给司机提了个醒："地球周围有大气层，开慢点儿！"

司机像个新手，我以前没见过他。看样子，他应该是B系列的机器人。

咦？我刚才说话，他咋没反应呢？他是没听见，还是根本听不懂？事情有点儿蹊跷。

编辑咋给我配了这么个呆瓜司机！我对这个司机没啥好感！他一句话不说，车还开得超快，简直像头发疯的野猪！

既然我说话他听不懂，我只好试着用键盘和他沟通："小心！开慢点儿！注意地球大气层！"

司机没反应！

"快刹车！！"我一边喊，一边飞快地用键盘输入，"快刹车！你这个家伙，耳朵锈住了吗？"

司机还是没反应！

完了!

太空车砰的一声冲进大气层，发出轰隆轰隆的声响。车身剧烈地摇晃着，安全带勒得我快喘不上气来了！我猛一抬头，发现车顶上有个紧急出口。我当机立断，决定从这儿冲出去。突然，停电了。车里一片漆黑，伸手不见五指。电一停，紧急出口的门也打不开了。真倒霉!

我闭上眼睛，努力让自己平静下来，集中精力想办法逃生。方案一：先变成微粒，等到了地球再变回来。不过，我立马否定了这个方案。风险太大！万一我变不回来，那可就惨了。

还没等我想出别的方案，灯啪的一声又亮了，紧接着传来急刹车的声音。呆瓜司机终于有反应了！为保险起见，我先找到了紧急出口的按钮。车子还是开得飞快，随时都有可能爆炸。

“快从紧急出口逃生！”呆瓜司机大声喊。我赶紧按了一下按钮，接着就被从车中甩了出去。我像陨石一样嗖嗖地朝地球飞去。幸亏我身上还有层保护膜，否则身体和空气不停摩擦所产生的热量早把我烧焦了。不过，太空车可没我幸运，它落到地球上摔了个稀巴烂。编辑要是知道了，准得气个半死。

好险呀！这次真是死里逃生。

我伸长弹簧臂，打开背包后面的制动喷嘴，腿也摆好滑翔姿势，时刻准备降落。制动喷嘴起了点作用，不过我还是重重地摔在了地上，费了九牛二虎之力才爬了起来。

这是哪儿？离Y9远不远？

我好奇地扫视了一下，发现周围有许多奇特的植物。它们的颜色很接近，都是绿色的，就是形状和大小不太一样。我恰好落在一块平地上，上面密密麻麻地长着一些低矮植物。后来我才知道，这种植物被地球人叫作“小草”，长满小草的平地是“草坪”，那种长得很高大的植物是“树”。我从来没见过这些东西。

我们高尔奇星球上的植物有金色的、透明的、黑色的和白色的。有的长得很快，你用肉眼就能看到它们在不停地生长；有的能识别声音，看到人便摇摆身躯或伸长胳膊去问候；有的会发出细微的声响；还有的香气浓郁，大老远就能闻到它们的味道。当然也有些植物很危险，它们汁液黏稠，一不小心粘上就很难脱身。看到那种植物，离得越远越好。

我这会儿在地球上看到的都是绿色植物。它们不会动，闻起来也没有香气。真没意思！

我一抬头看到夜空中有许多小星星，还有一个亮亮的圆球，没准儿是月球，我刚才还坐着太空车从它旁边经过呢，没想到从地球上看它，原来那么小。

我刚才重重地摔在地上，身体倒没什么大碍，但不知道别的东西咋样。我赶紧打开背包，查看里面的东西。不好！电池坏了，流出来很多电解液，不过我估计还能修好。充电器和变压器也摔坏了，真倒霉，这些东西修也没法修，以后怎么充电呢？地球上的电压一般是220伏，对我来说太高了。我的设备都非常敏感，只能用很小的电压充电。怎么办？能在地球上找到合适的电源吗？要是找不到，麻烦可就大了。唉，刚到地球就这么倒霉，可不是个好兆头！

幸亏无线电收发机没事。我赶紧给杂志社发了条无线电信息。（小贴士：信息内容是高尔奇语，要从后往前读哟！）

：辑编的爱亲

，3Y的奇尔高是我

。球地达到经已现

！顺不别特陆着

！废报已车空太

，机司瓜呆怪都

！命丧儿点差我害

。报汇细详再后以

。毕完

第3章　四个地球人

在我降落地点的不远处有栋建筑物，石砌的，不算大。四边形的窗户里透出微弱的灯光。咦？这是祭祀场所，还是地球人住的房子？

我小心翼翼地飞过去，想探个究竟。突然，不知什么东西腾地一下跳到我面前的草坪上，又敏捷地爬上了旁边的一棵大树。他待在上面动也不动地盯着我看，眼睛睁得滚圆。我用千里眼仔细一瞧，只见他浑身是毛，细长的身体下有四条小短腿，屁股后面还撅着一根长长的尾巴。没准儿这就是地球人？我要表现得礼貌一些，于是我走到树下，仰头看着他，用标准的地球语说："您好！"

但是这个地球人没吱声，照旧傻站在那儿，死死地盯着我。真没礼貌！周围特别安静，他突然喵了一声，从大树上猛地跳下来，转眼就不见了。

哇！地球人也是身怀绝技啊！

我呆呆地站了一会儿，琢磨着要不要追上去问问。最后，我想还是算了，既然他这么没礼貌，追上去也没用，不如到那栋房子跟前去瞧瞧。

我无声无息地飞过去，趴在窗台上往里看。屋子里有四个人，和刚才那个长得一点儿都不一样。哈哈，我明白了，原来是我搞错了！屋里这四个才是真正的地球人。

他们都是两条胳膊、两条腿，身上没毛，屁股上也没尾巴，就是头不太一样。

第一个地球人长着骷髅头，全身发黑，骨架闪着绿幽幽的光。第二个地球人长着鹰钩鼻，一把尖刀插在脑袋上。第三个地球人头发乌黑，一直垂到肩上，脸上没一点儿血色，像蜡一样白，看似幽灵。最后还有个小地球人，从头到脚都裹着白绷带，简直就是个小木乃伊。

四个真正的地球人！

刚才我只顾着看屋子里面了，这会儿才发现窗户上还有一道很薄的玻璃，把我和地球人隔了开来。

我又仔细看了一下房间，只见墙壁上挂着很多蜘蛛网、塑料蝙蝠和亮闪闪的爬行动物。桌上放着骷髅头碗，里面是鲜红的汁液，看起来像血。有个外形特别恐怖的托盘，盛着很多蝙蝠形状的橡皮糖和骨头模样的薯条。还有盘红色酱汁，上面漂着大脑形状的香草布丁。圆形的盘子里放着长长的手指，像用黏稠的绿色橡胶做成的。

房间里挂满了红色小灯，灯光幽暗。角落里还放着三个骷髅头，发出绿幽幽的光。从天花板上垂下来一个鬼脸南瓜灯，狰狞的样子真是令人毛骨悚然。

那四个地球人正坐在一个小屏幕前看电影。我们高尔奇星球上也有电影，只不过都是3D的，画面清晰逼真，仿佛触手可及。我们还可以随心所欲地参与到电影中，改变原来的情节。

这几个地球人看的屏幕是二维的，小得可怜。看样子他们也不能随意改变电影情节。

我好奇地看向屏幕，只见里面有一群长相非常奇特的地球人，嘴巴张得很大，正用尖尖的牙齿咬别人的脖子。伴随着一声声惨叫，鲜血从伤口处喷涌而出！啊，人吃人，好恐怖！！

现在我总算明白，为什么宇宙中疯传地球人很残忍、很危险了。看来这些谣言也并非毫无根据。我心里打起了退堂鼓。

四个地球人紧紧地盯着屏幕。忽然，幽灵模样的地球人张开嘴说：“够了，够了！再看孩子估计就吃不消了，太重口味！咱们别看了！睡觉，睡觉去！”

“哪有啊，妈妈？这恐怖电影一点儿都不吓人！”我听小木乃伊说。

“小家伙还顶嘴！”长发幽灵说，“不管做什么都得有点儿节制，明年又不是没节过了！快收拾收拾，上床睡觉去！我马上就把电视机关了。”

就在这时，我不小心弄出了点儿动静。那四个地球人眼睛齐刷刷地看向我。

鹰钩鼻地球人猛地站起身，从房子里走出来，站在我面前。他盯着我半信半疑地看了好一会儿。

我礼貌地对他说：“您好！”

看来这次问候比刚才在树下管用，因为鹰钩鼻没跑开。他吃惊地看着我说：“噢，天哪！您是哪位？”

这个问题来得太突然，我完全蒙了，一时间竟不知所措。我刚安装上地球语的数据库，用得还不太熟练。

我快速查了一下电子词典，想找个恰当的回答。“您是哪位？”这是什么意思？

“我就是我！”我随口说道。

“啊，什么？”鹰钩鼻睁大眼睛问。

可能刚才答非所问，我只好换了句：“我——祸不单行！”

鹰钩鼻突然爆发出一种奇怪的咯咯声，好像体内什么零件坏了。我是第一次听到这种声音，确实有点儿吃惊。我们高尔奇人从来不会发出这种声音。当然，现在我知道了，鹰钩鼻其实是在咯咯地笑。

接着他向我伸出了一只大手，像是种问候方式，不过我没有十足的把握。万一这人是个大坏蛋怎么办？我决定装傻，呆呆地、无辜地看着他。

这时，另外几个地球人也从房子里走出来，好奇地打量着我。

鹰钩鼻又问：“嗨，小外星人，你叫什么名字？”

这句话我听懂了，可我还没有地球语名字。不过我灵机一动，说出了我的家乡高尔奇星球：“我的名字是高尔奇。”这几个地球人又咯咯地笑了起来。小木乃伊指着我喊道：“明年我也要买一套高尔奇这样的装扮！”

“嗯，这装扮不错！”鹰钩鼻点着头说。

骷髅头地球人对我说：“哎，我说小外星人，都这么晚了，你还不回家吗？你爸妈该担心了！”

“回家前，我要先完成任务。”我认真地说。

“哦，这样啊。”骷髅头说。

接下来，奇怪的事情发生了。

四个地球人开始变形。他们直接用手把“脸”拿了下来。这时我才发现他们的头长得也差不多：眼睛小小的，鼻子也小小的，脸的左右两侧各长着一只耳朵，头上长着毛发，其中有个地球人鼻子和嘴巴之间还长着毛。小木乃伊原来是个小孩，生着圆圆的脸蛋儿，一双好奇的眼睛里是深色的瞳孔，头发很短，乱糟糟的。

他看着鹰钩鼻问：“老爸，明年给我买套高尔奇这样的装扮，行吗？”

接着，骷髅头地球人对我说：“你住哪儿？在这附近吗？你看我们都把面具摘下来了，你也摘下来呗！”

“我没戴面具，没什么好摘的！”我生硬地回答。

他们疑惑地看着我，可能我的长相和刚才说的话把他们搞晕了。可我说的本来就是实话嘛！我又没戴什么面具！看他们吃惊的样子，我只好解释道：“请原谅！我来自高尔奇星球，正在寻找失踪的同事Y9，你们见过他吗？”

布家人

“妈呀！这是咋回事？难不成我刚才喝多了？”幽灵地球人说。这人嗓音细细的，听上去应该是个女地球人。

突然，小木乃伊大声尖叫道：“外星人！他是个外星人！！！”

小木乃伊第一个发现了我的真实身份。噢，我明白了，地球人可能是越小越聪明。

三个成年地球人还是目瞪口呆地看着我。

“难不成是见鬼了？”幽灵女问。

“连锅里的鱼都要疯了！”骷髅头说。

“我在梦游？”鹰钩鼻说。

我脑袋里一片混乱，完全不知道他们在说什么。看来我的地球语还不大行。

“我来地球是为了执行任务，不会伤害你们！”我说，“我是高尔奇《大爆炸》杂志社的记者，负责《话说地球》专栏。”

“噢，天哪！”幽灵女惊呼。

他们地球人怎么老是大惊小怪的，难道以前没见过外星人？

小木乃伊看着我，非常激动的样子。我猜他可能是个外星人专家，或者至少在电影里见过外星人。

“噢，天哪！就是个外星人，没错！外星人竟然到了我们家，真是个奇迹！”小木乃伊兴奋地说。

我连忙向他解释道：“抱歉，你刚才说错了。我不是奇迹，我是高尔奇！希望你以后能叫我这个名字。”

接下来，他们一一介绍了自己。小木乃伊叫布鲁诺，其他三个分别是布妈妈、布爸爸和布爷爷。那个脸上长胡子的地球人原来是布爷爷。

“真见鬼了！难道我老糊涂了？还是老眼昏花了？”布爷爷大声说，“你……你刚才说自己是个外星人，叫高尔奇，是真的吗？不是开玩笑吧！你们星球也叫高尔奇？离这儿远吗？”

“给我们讲讲高尔奇星球吧！”其他人跟着说。

地球人这不挺好学的嘛。不过现在我还有别的事要做，于是说道：“请原谅，我手头上有件重要的事要做，想先单独待会儿，以后再给你们讲吧。”

“好吧！等你忙完再说。”布爷爷说。

“那明天怎么样？”布爸爸迫不及待地问。

“高尔奇，如果你愿意的话，今晚可以睡在我们的花园小屋里。你看怎么样？”布爷爷说。

“谢谢！这主意不错！”我高兴地答应了下来。

“那……那么……晚安！”布妈妈说，“我们现在去睡觉，明天见！”

布鲁诺不愿意走，但被布妈妈拖走了。他不停地回头看，还冲我喊道：“高尔奇，你晚上别溜了呀！一定要等着我！明早见！”

布家人一块儿进屋了。他们每天晚上都要睡觉，睡在软绵绵的垫子上，一睡就是几个小时，这样才能养足精神。我们高尔奇人可没这习惯。我们很少睡觉，如果换算成地球时间的话，也就每四个星期休息一次。我们休息的时候，把自己连到电源上充充电，只要充满就行了。

布家人走了之后，我飞进花园小屋，从背包里拿出无线电收发机，试试能不能联系上Y9，但收发机每次都显示发送失败。没电了？我看了一下电池，奇怪，电量还够。怎么回事？没道理呀！难道那个呆瓜没打开收发机？好吧，明天再试试！如果刚来地球就找到他，那么编辑交代的任务也未免太简单了，我这样安慰自己。

我的无线电收发机

接着我给杂志社发了第二条信息：

：辑编的爱亲

，人球地个四了现发我

，儿会一了聊们他和

。错不还人球地觉感

，里屋小园花在住我

。系联得取9Y和没还

。您候问屋小园花从

。毕完

第4章 学校很危险

给杂志社发完信息后，我拿出电子日记本，把目前对地球人的认识写了下来，还拍了些房子、花园和周围物体的3D照片。我对那些植物很感兴趣，便做了个土壤取样分析。刚把土壤放进背包，分析器就亮起了绿灯，看来土质不错，里面没有任何有毒物质。

我拿出无线电收发机又试了一下，结果还是联系不上Y9。

我走出小屋，坐在花园的长椅上仰望星空，思绪又飞回了高尔奇星球。我想到了机器人小马莫步、我的小屋、杂志社同事……我第一次感觉家乡离我那么遥远。

我从背包里找出微型收音机，想搜索一下高尔奇星球上的电台。既然回不了家，听听那边的音乐也好啊！唉，没想到信号特别差，除了吱吱啦啦的声音，什么也听不见，最后我只好放弃了。

为了节省能量，我关了处理器，把主机调到了待机状态，就这样迷迷糊糊地睡了过去。

我好想念机器人小马莫步。

节省了一晚上的电，第二天早上醒来时，我感觉身体还是很虚弱。

布鲁诺站在窗边，偷偷地往我这边瞧。

“早上好，布鲁诺！很高兴咱们又见面了！”我一边喊，一边朝他挥动我的长鼻子。

他犹犹豫豫地走过来，站在门口目不转睛地盯着我看，眼神里充满了疑惑。

“我早上一醒来就琢磨，昨晚是真看到你了，还是做了个梦。”他说。

“这还用怀疑呀？当然是真的了！不要怕，来，走近点儿！”我说着伸出弹簧臂，一下子穿过半个房间，把手伸到布鲁诺面前。我想昨晚布爸爸就是这样问候我的。没想到，布鲁诺吓了一大跳，连忙后退了几步。真没想到他会这么吃惊，我连忙收回弹簧臂。过了一会儿，他才慢慢放松下来，缓了缓神对我说：“你吃早饭吗？妈妈准备了一些吃的，在厨房等我们。一块儿去吧！”

“为什么要吃早饭？”我问。

“当然要吃了，不然肚子会饿呀，还会咕噜咕噜地叫！”

我很好奇，于是跟着他走进了房子。

房子里有几个大小不一的房间，每个房间都有门。我推开门一看，里面塞满了各式各样的家具，有椅子、桌子、柜子等。柜子里还摆放着一些小物件。

房间的墙上挂着很多彩色的画，画上有动物、植物和地球人，不知是怎么弄出来的，反正不像是用相机拍的。布鲁诺大概猜到了我心中的疑问，于是说：“这些都是我自己画的！”

我还是不大明白，便问他：“画的？怎么画的？”

布鲁诺解释道：“用彩笔，把这些东西画在纸上。”

噢，原来是这样！我没见过彩笔，没想到用彩笔画的画还挺漂亮的。我暗自下定决心：以后有机会的话，一定要好好学一下。

布鲁诺带我走进一个小房间。

“早！昨晚睡得还好吗？”布妈妈说，“我准备了点早饭，不知道你喜不喜欢。我们以前没接触过外星人，更别提一块儿吃早饭啦。”

“爷爷和爸爸还在睡觉，他俩都是瞌睡虫，尤其是爷爷！”布鲁诺告诉我。

布妈妈递给我一只碗，里面是一堆灰褐色的东西。我小心翼翼地把鼻子凑过去闻了闻。布妈妈见状连忙说：“这是麦片。你们那儿没有吗？”

“嗯，我们高尔奇星球上没这种东西。”我好奇地尝了一口，味道不错，甜甜的，很爽滑。刚放到嘴里，麦片就变软了，一下子滑到了食管中。它像什么呢？我还真说不上来，我之前没吃过类似的东西。

我们高尔奇星球上，就只有两种吃的——福谷物和披油。它们富含热量，吃一次，好几周都不饿。

地球人隔很短时间就要吃一次饭，一天要吃三顿，因为他们体内的能量消耗得很快。我想想就觉得好麻烦呀！

“噢，对了，高尔奇是你的名还是姓啊？”布妈妈问。

“嗯？名还是姓？”我有点疑惑地问。

“你们不分名和姓吗？我们每个人的名字都有名和姓两部分。在德国，名放在姓的前面。给你举个例子吧！有个人叫洛塔·比尔，洛塔是名，比尔是姓。在有些国家，人们习惯把姓放在名的前面。”布鲁诺向我解释道。

哇——好复杂呀！我听了半天，还是一头雾水。

他接着说：“我猜高尔奇是你的姓，嘻嘻，要不我给你取个名儿？‘古斯塔夫’怎么样？”

“好啊！”我说。

“太好了，太好了！古斯塔夫·高尔奇！以后你就叫古斯塔夫·高尔奇啦！”布鲁诺喊道。

“嗯，‘小古斯’也不错呀！”布妈妈说。

“‘小古斯’？这名字好听！”我说。

突然，我感到一阵阵电磁波。没错，这个房间里肯定有电池！我问了一下布鲁诺，他打开手机后盖，让我看了看里面的电池。我接过手机，一下子就把电池里的电吸空了，顿时感觉神清气爽。

“咦？怎么你看了一下，手机就没电了呢？真奇怪！”布鲁诺抱怨道。他急匆匆地吃完麦片说：“上学去喽！”

“啊，上学？为什么？”我好奇地问。

他告诉我，地球小孩都要去学校，为了获得知识，要一直上好多年学呢。我听了这话，有点儿吃惊。太复杂了！我们高尔奇人学东西比他们快多了。只要给大脑编一次程序，就能把所有重要的东西都保存进去，根本不用花很多时间去学，也算是一劳永逸吧。

我想去看看地球人的学校是什么样子的，于是对布鲁诺说：“听上去很有趣！我陪你去，行吗？不过就这一次，我可不想天天去学校！”

“好啊，好啊，如果你真想去的话，当然没问题啦！”布鲁诺说，“不过，最好别让人看见你，尤其是在大街上！你一露面，他们准会大惊小怪的。那些人没见过外星人，万一把警察招来，那就糟了！我怕他们会送你去外星人研究所，做各种实验，到时候你就别想逃出来了！”

“啊，竟然有这种事？”

“鬼才知道！”布鲁诺说，“反正你最好别露面！对了，你会隐身术吗？”

“我只会变形，可以变成植物，或者其他没生命的东西。”我说。

变形是我最拿手的，要是比变形速度，我看高尔奇人没几个能比得上我。其实吧，变形也不需要什么技巧，只要集中精力，熟练掌控身体就行了。

“哇！太好了！快变一下让我看看吧！”布鲁诺激动地大喊道。

我集中精力，没几秒钟，变形开始！首先是腿，接着是肚子，最后是头。我习惯从下往上缩，这是最舒服的。

最后我缩成了一丁点儿大，站在布鲁诺脚跟前，仰头看着他。

“哇，天哪！酷呆了！”布鲁诺一边说，一边俯下身子小心翼翼地把我拿了起来，然后朝学校走去。

一路上，我看见了很多地球人住的房子，它们大小不同、形状各异，连颜色也不完全相同。

我还发现了一个奇怪的现象：地球人都飞不起来，连布鲁诺也不行。他们只能用两条腿慢慢往前挪动。这样走路多费劲呀！还好地球人也有交通工具，只不过都是些老式的玩意儿，下面有几个轮子，造型非常奇特。怪不得大家都说地球上的科技不发达，果真没错！

从上往下看布鲁诺

布鲁诺慢腾腾地朝学校走，到了校门口悄悄对我说："就这样进去，我怕同学会看见你……"

"没事吧？他们很危险吗？"我问。

布鲁诺说："这倒不是。如果你再变小点儿就好了。"

"不能再缩了，要不我变成别的东西？"我指着变形开关问。

"哇，小古斯，你太棒了！"布鲁诺大声说。

“噢，其实没什么，小菜一碟！不过就是特别耗能量。”

“嗨，别小气了！你能量肯定还够，快变给我看看嘛！”

“变成什么呢？”

“等一下，让我好好想想！”

过了一会儿，他说：“变成一支笔吧，这样不容易引起怀疑。”

好吧，我摇身一变，变成了一支银白色的圆珠笔。变成笔后，我没了眼睛，看不见东西，全靠听觉了。布鲁诺拿起我，夹在右耳朵上。我俩一块儿踏进了校门。

对我来说，上学是件非常新鲜的事，我聚精会神地听着周围的动静。一开始，我听到很多小地球人说话的声音，乱糟糟的，听不大清楚。突然，有个女地球人提高嗓门说：“请大家安静！我们开始上课！”周围这才慢慢安静下来。布鲁诺告诉我，这个女地球人是老师。我听她不断地下命令。她说什么，那些小地球人就做什么，连布鲁诺也照做，从不反抗。

一会儿，老师叫他到黑板前做算术题。

我听女老师喊道：“布鲁诺！来黑板前做做这些题，你肯定能做出来的！好好想一下，动动你的小脑瓜……”

“13×9+45−7=？”我听布鲁诺小声念道。这题对他来说好像很难，他想了半天，还不停地用手挠头，挠的地方刚好靠近右耳朵，我听到哧哧的声音。

“155！”我低声说。

布鲁诺赶紧在黑板上写下“155”。

我听老师说：“嗯，不错！接着往下做。”

做第二道题时，布鲁诺又小声念了一遍：“789−56+878−4=？”

“1607！”我立马小声告诉他。他连想都没想，就直接把答案写到了黑板上。

我听老师吃惊地说："噢，我的天哪！这是咋回事，布鲁诺？不可能有人算得这么快！"

她说得没错，地球人绝对算不了这么快，但我们高尔奇人就不一样啦，我一会儿就帮布鲁诺做完了下面的题：

67267−794×5=63297

7896÷4+98×9=2856

8794+384÷24−12=8798

答案完全正确。不管多难的题都难不倒我！

老师简直不敢相信，布鲁诺竟能在这么短的时间内把题做完。接着她又出了几道很难的题。当然，在我的帮助下，布鲁诺不费吹灰之力就做完了。女老师激动地说："哇！太不可思议了！布鲁诺，你总算开窍了！知道吗？你简直就是个数学神童，数学小天才！"

老师的话刚说完，我就听到别的地球小孩啪啪鼓起了掌。最后，老师让布鲁诺回到自己的位子上。他旁边坐着的小地球人叫斯特娜。这个名字很有意思，不过我们高尔奇人从来不会取这种名字。

后来我才知道斯特娜长什么样。她长着一头红色的鬈发，鼻子周围有几个小雀斑，像是布鲁诺用彩笔给她点上去的一样。她胳膊很细，眼睛是浅蓝色的，跟布鲁诺的T恤衫的颜色一样。听斯特娜和布鲁诺说话，我感觉他俩很合得来，可能是比较要好的朋友。

斯特娜正面

她的一头鬈发

“咦？你今天吃错药了吗？咋一下子变这么聪明了？”斯特娜问布鲁诺。

“那些题本来就是小菜一碟嘛！”他得意扬扬地回答。说着他把我从耳朵上拿下来，在桌上敲了几下。

“哎哟，拜托，别敲了！”我对他说。这次声音有点大，旁边的斯特娜好像也听到了，于是吃惊地问：“啊，你刚才说什么？”

“没什么，我没说什么呀……噢，不对，我刚才的确说什么了……不过不是对你说的……”布鲁诺结结巴巴地说着，又把我夹到耳朵上。

斯特娜侧了侧身子，斜眼看着布鲁诺，吃惊地说：“你到底怎么啦？我看你今天不大对劲！”

女老师发了一些长方形的纸，上面密密麻麻地列了很多算术题。小地球人要在规定的时间内算出答案来。布鲁诺还是像刚才那样小声读题目，我把答案悄悄告诉他。他很快就把题全做完了。

“小神童，让我抄抄呗，省得我再费脑筋算了！”斯特娜说。

她看布鲁诺做得这么快，干脆不做了，直接抄了他的答案。

“谢谢，你太棒了！”布鲁诺小声对我说。

“不客气！”我低声回答。

“啊，你说什么？”斯特娜问。

布鲁诺连忙说：“没……没说什么，你听错了吧？”

斯特娜扬起眉毛说：“噢，我明白了！你肯定是自言自语，我妈以前说过，很多天才都这样！”她不知道是我在帮布鲁诺，还以为他一夜之间真成了小神童。

刚一下课，布鲁诺就和其他小地球人一块儿冲出了教室。我仍老老实实地待在他的耳朵上。

在教室外面，小地球人们又炸开了锅似的大喊大叫起来。好吵呀！我们高尔奇人从来不会制造这种噪声，高尔奇小孩喜欢悄无声息地飞来飞去。

“这是怎么了？”我问布鲁诺。

“没什么，大家闹着玩儿，放松放松。”

“啊？这么大动静，你们干什么呢？”

“就是跑跑，活动一下。不爱动的站着晒会儿太阳，饿了的吃点东西，还有推推撞撞闹着玩儿的。”

布鲁诺刚说完，一个小地球人就跑过来撞了他一下。

“嗨！你要干什么？”布鲁诺踉踉跄跄地退了几步，咣当一声摔在地上，把我甩出去老远。那个小地球人趁机捡起我，撒腿就跑。他使劲攥着我，弄得我很不舒服。

这是怎么回事？难道身份暴露了？要不我变回原样吓唬吓唬他？不行，还是等等看吧！我心想。

“快把笔还给我！”布鲁诺冲着他大声喊道。

“哈哈，自己过来拿呀，小胖墩！”那人一边跑，一边喊。布鲁诺紧紧地追着他不放。我听布鲁诺呼哧呼哧地喘着粗气，怎么也追不上。

“快把笔还给布鲁诺！”我听见斯特娜在一旁喊道。

不过，那个人根本就没搭理她，还是攥着我跑来跑去。我听他朝布鲁诺喊："快点呀，小胖墩，快来追啊！不行了吧？小胖墩！有本事自己过来拿呀！"

这时，又来了两个小地球人，一下子抱住布鲁诺不放手。

布鲁诺用力挣扎，还是摆脱不了那两个人，只好拼命地大喊："放开我，你们这群大坏蛋！你们到底想干什么？快放开我！"

我一头雾水，不知发生了什么事情。不过我猜布鲁诺遇到了大麻烦，要赶紧帮帮他才行。

我立马让全身热起来。

我只用了一点儿能量，没想到体温一下子就飙升到50摄氏度。那个地球人猛地把我摔出去，哇哇地叫了起来。他不住地往手上吹气，还跳来跳去的。

布鲁诺趁机摆脱了那两个人。他赶紧跑上前，捡起我又夹到了耳朵上。当然，这会儿我的体温早降了下来。

"哼，最好以后少来惹我！"布鲁诺生气地冲那个人说。

那个人满脸疑惑，一会儿看看布鲁诺耳朵上的圆珠笔，一会儿看看自己烫伤的手。

"快用凉水冲冲！"有人朝他喊道。他一听，立马跑进教学楼找水去了。

“布鲁诺，这是咋回事？好奇怪呀！”斯特娜吃惊地问。

“哼！这下子先让他尝尝苦头，看他以后还敢不敢再欺负我……”布鲁诺自言自语道，好像根本没听见她的问题。

最后斯特娜只好说：“你今天就像变了个人似的！”

课间休息结束后，小地球人们跑到了操场上。布鲁诺把我夹到运动包上小声说：“在这儿等着我！”说着，他把包轻轻地放在操场边上就跑开了。

我不想老是变成一支笔的样子，啥也看不见，于是索性变回原样。为了不被别人发现，我又缩成一丁点儿大。哇，这样多爽呀！我伸了伸懒腰，活动了一下关节，顿时觉得舒服多了。

我爬到运动包侧面的小口袋里，只把头探出来，想看看小地球人们都在干什么。

有个身材高大的地球人站在操场中间，吹了几声哨子。那群小地球人赶紧围成一个圈跑了起来。过了一会儿，高个子地球人又吹了一声哨子，那群小地球人立马停下来，开始活动胳膊和腿。

布鲁诺慢腾腾的，做动作也不到位，看样子不怎么爱运动。高个子地球人经常批评他。又过了一会儿，小地球人们在操场上跑来跑去，追赶着一个球，抢着用脚踢，像是要把它踢进网子里。布鲁诺俯下身子站在网子前，手脚并用，不让球飞进去。他要高度集中精神，不能有丝毫松懈，看样子这活儿也不轻松。每当他成功地拦住球时，好多人都会大声喊：“干得好，小胖墩！”

我一直琢磨：布鲁诺干吗不让球飞进去呢？

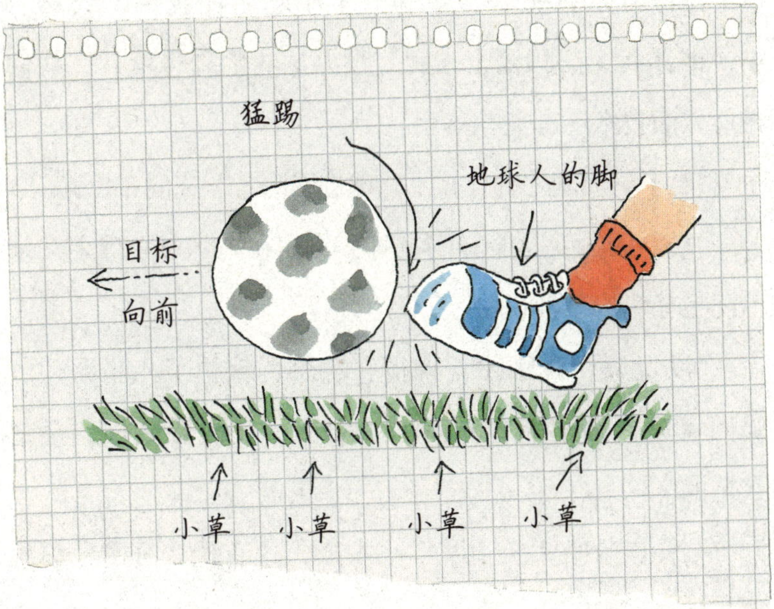

放学后，斯特娜顺道和我们一起走了一会儿。

“你守门守得真棒！”她说。

“还可以吧。”布鲁诺回答。

“我想下午去找你玩，你在小吃店吗？”

“嗯！”

“那好吧，一会儿见！”斯特娜说完就回家了。

她走后，我终于敢开口说话了，于是好奇地问布鲁诺：“什么是‘小吃店’？”

他简单地回了句：“以后你就知道了。”

我万万没有想到，正是这个小吃店让我倒了大霉。唉，谁让我无法预测未来呢！没办法，的确得承认，我们在这方面技术还有点儿落后。

“对了，你刚才为什么不让球进网呢？”我问布鲁诺。

“噢，因为我是个守门员呀！你们在高尔奇星球上从来不玩足球吗？”他说。

“没玩过。我刚才觉得很有意思，就拍了几张照片，等回家后让同事们也看看。说实话，我没看懂你们是怎么玩的。”

布鲁诺哈哈大笑道：“小古斯，这有什么难的？你想得太复杂了！”

“噢，对了，为什么别人都管你叫‘小胖墩’呢？这也是你的名字吗？”

他沉默了一会儿，突然大声说：“他们都是大坏蛋！

人家胖怎么了？关他们什么事！”

我不知道他在嘟囔什么，于是又问：“那你很胖吗？”

“瞎说！我哪里胖了？”他大声抗议道。

真奇怪！我看他和别的地球小孩也没什么区别呀。

“胖瘦真的很重要吗？”我接着问。

“不知道！”布鲁诺生气地说。

真奇怪，他用得着这么大动肝火吗？为什么不能心平气和地说这事呢？

回到家后，我告诉布鲁诺我想单独待会儿。他点了点头就走开了。

他走后，我朝花园小屋飞去。刚一进屋，我就发现靠墙那儿放了个割草机，它里面也有电池，而且电量还是满满的。我一下子就把电池里的电吸了个精光，顿时感觉浑身又有劲了。

我把今天的经历写在电子日记本上，然后拿出无线电收发机又试了几次，看看能不能联系上Y9。唉，还是一无所获！“既然联系不上他，那就算了！这样也好，省得我看见那个吹牛大王就来气！”我自言自语道。

接着，我给杂志社发了第三条信息：

：辑编的爱亲

。3Y是我

。9Y上系联没还

，解了的步一进了有人球地对

。险危很确的人球地些有

，测不遇遭儿点差校学在我

。了平摆经已都切一把我好还

！哟我赏奖要定一去回得记

。毕完

第5章　布家的快乐生活

过了一会儿，布家人拿着饮料和蛋糕，来花园小屋拜访我。

“现在可以给我们讲讲高尔奇星球了吧！”布爸爸说。

接着他们就提了一大堆问题。他们以前从来没听说过高尔奇星球，所以非常好奇。好奇是件好事，只有对事物感到好奇，才会追根究底，才有可能获得正确的认识。地球人有地球人的特点，当然不能用高尔奇人的标准来衡量。我开始了解地球人了，其实他们有时候也挺可爱的。

“快说说，你们星球什么样？有照片吗？来句高尔奇语，让大家听听！”他们催促道。

我说：**“！乡家的我讲讲们你给意乐很”**

接着我谈起了高尔奇星球、《大爆炸》杂志社，还有我住的小房子。我还没讲完，他们又连珠炮似的问起了问题。

“你们外星人会咳嗽、流鼻涕吗？”

“你们会长麻疹和水痘吗？”

“你们星球上有小猫咪吗？”

“有猪吗？”

“你们吃猪排吗？吃意大利面吗？吃绿色蔬菜吗？”

“你们那儿有自行车吗？”

他们的问题真多，不过我还是耐心地回答了所有的问题。

我告诉他们，高尔奇星球上只有两种食物：福谷物和披油；我们现在对多数疾病都有免疫力；我们在科学技术方面领先于很多星球；我们高尔奇人寿命都很长。

我多大了？这个连我自己都不知道，我们从来不关心自己的年龄。不过，如果换算成地球时间的话，估计我活了至少200年，当然这也只是一个相当保守的估计。

接着，我在布家人面前好好展示了一番我的本事。看到我能飞起来，他们简直不敢相信！毕竟地球人只能用两条腿走路，偶尔借助高科技才能在空中飞。说实话，用两条腿走路，走得也太慢了，还很容易累。

我飞起来，一直飞到天花板上，翻了个身，在天花板上倒着走来走去。他们立马就惊呆了！我就这样头朝下走了好一会儿，最后猛一翻身，扑通一声跳到了沙发上。

布家人啪啪鼓起掌来。

我把弹簧臂尽量伸长，一直够到天花板上。

“噢，天哪！快看！我是不是眼花了？”布爷爷喊道。

布妈妈吃惊地大叫了一声。看来是吓到她了。我连忙把手臂缩回来，打开活动脑盖，让他们瞧瞧里面的构造。我的脑袋瓜存储能力很强，想象力非常丰富。在高尔奇星球上，我也算聪明的了。

他们好奇地往我脑袋里看。

我让他们看我的脑袋

“哇——好酷！”布鲁诺喊道。

“天哪！不疼吗？”布妈妈大声说。

地球人没法打开脑盖，我觉得这是一种天然缺陷。可能就是因为这个，他们学东西才慢，老是记不住。

合上脑盖后，我从鼻子里喷出来几颗小星星。果然不出我所料，布家人立马兴奋起来，还不停地哈哈大笑。我的小星星功效奇特，能让人一下子开心起来。

他们高兴地在屋子里转来转去，一会儿唱歌，一会儿跳舞，最后跳着来到了花园里。布爷爷蹦来蹦去，还不停地鼓掌。真有意思！过了好一会儿，他们才平静下来。

“再来一次！再来一次！”布爸爸气喘吁吁地说。

“太好玩啦！这又是什么法术？”布爷爷咯咯地笑着问。

“是我鼻子里的小星星！它能让人立马高兴起来。看你们这么开心，我也好开心呀！”

“你还有啥好玩的？”布鲁诺问。

“激光枪！想不想见识一下它的威力？”我一边说，一边掏出枪，“不管多硬的东西，激光枪都能把它打个稀巴烂！”

“啊——这么厉害？我看有点危险！”布妈妈惊呼道。

“那还是算了吧！”布爸爸有点儿失望地说。

但布鲁诺和布爷爷无论如何都想见识一下。

“哇，瞧这小家伙，还挺有能耐的！”布爷爷说，“今天算是大开眼界啦！改天我要带上枪和高尔奇去打猎！”

“还是算了吧，爸！”布妈妈严肃地说。

“我说着玩儿的。”布爷爷嘟囔道。

我举起激光枪说：“请大家退后点儿！”

我的枪看起来一般，威力可非同寻常！其实我很少用它。我不喜欢暴力，我们高尔奇星球上没人使用武器。两千年以来，我们一直都和平相处，从来没有人会恶意攻击其他人。我也是因为经常出差去别的星球，有时候去的星球很危险，不得不防着点，才配了把激光枪随身带着。万一遇到坏人，可以用它来防身。不过不到万不得已，我是不会用的，因为它的威力实在太强了。

布爷爷在花园里铺了一张小地毯，在地毯边上摆了几块大石头。

“瞧我的！”我说着就举起枪对准石头。啪啪啪啪！一阵枪响过后，石块全都崩飞了。

“哇！好棒！”布鲁诺拍手叫绝。接着，他指了指水桶、割草机和大树，嚷着叫我朝它们开枪。可我不想再浪费能量了，于是说：“枪不能乱开，很耗能量，我也没带充电器，看一眼就行了！再说，我拿枪是来防身的，任务还没完成，就把能量用完了的话，可就糟了。”

想到编辑交给我的任务，我对布家人说：“我想好好了解一下地球人的生活方式，决定在这儿多待几天。”

“哇，太好了！”布鲁诺喊道。

“没问题！”布爷爷说，“我可以教你吹萨克斯管！我年轻的时候在乐队里待过几年……”

“爸！外星人怎么会对这玩意儿感兴趣呢？”布妈妈说。

“好啊，你在这儿想住多久都行！”布爸爸说。

“你们真好！那我就不客气啦！”我高兴地说。

说这话时，我真没想到，就是在多待的这几天里，我差点儿丢了小命！

一开始的时候，我非常享受在地球上的日子。

布家人让我看了很多有趣的东西。他们用的电脑很老式，速度特别慢，我实在看不下去，就帮他们改进了一下，电脑立马就好用多了。布爸爸教我怎么记账、报税、洗车、刷墙壁，以及修理坏掉的栅栏。我每天还陪布鲁诺做算术题。我发现，他的数学进步很快，看来多做练习对地球人非常管用。

布爷爷的萨克斯管吹得棒极了，他教我怎么吹，我没试几次就会了。他还教我怎么割草，怎么修剪高大的灌木丛，怎么把花园里的生物垃圾制成肥料。不过我最喜欢做的事情还是浇花。我先把水吸到鼻子里，再慢慢地喷到花上，好玩极了！布鲁诺说我像头大象，我没见过这种动物，不知是不是真的有点儿像。

布爷爷还是个棋迷，找不到人陪他下象棋，硬是要收我做徒弟。其实，下象棋一点儿都难不住我，布爷爷一说我就学会了。之后他就没赢过我。每次输了，他就会说："其实吧，输给个外星人也没啥！"

关于地球人的重要情报

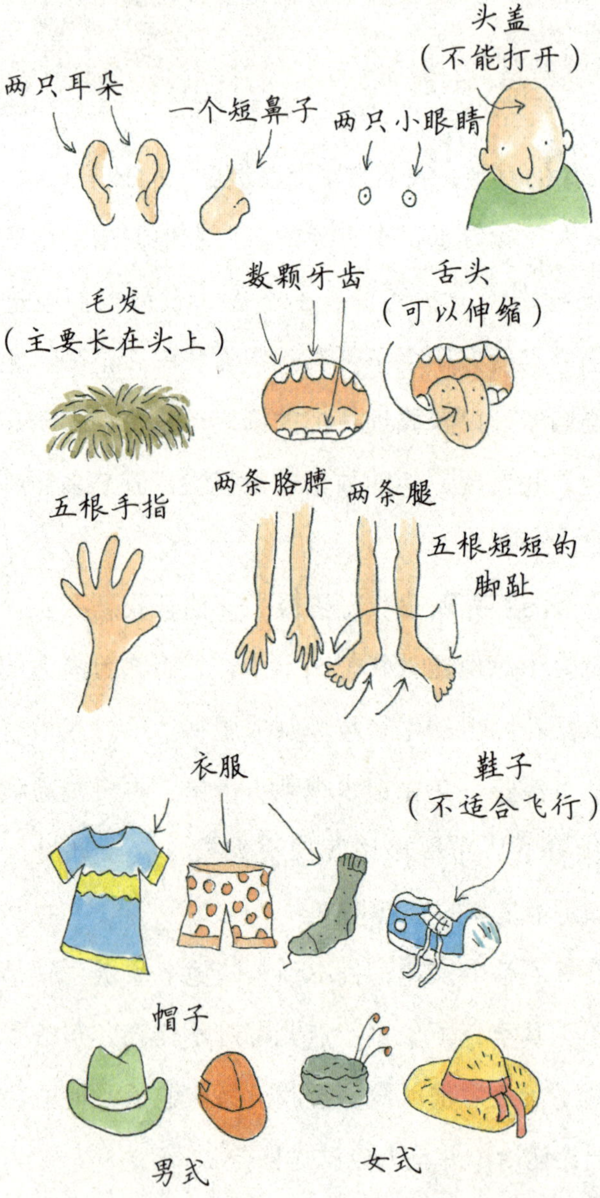

两只耳朵
一个短鼻子
两只小眼睛
头盖
（不能打开）
毛发
（主要长在头上）
数颗牙齿
舌头
（可以伸缩）
五根手指
两条胳膊
两条腿
五根短短的
脚趾
衣服
鞋子
（不适合飞行）
帽子
男式
女式

脖子上戴的东西
（男式）
下身穿的衣服
（女式）
地球人
（从上往下看）
饰品
可以看时间的东西
食物
玩具
宠物
浑身是毛
家用物品
四条小短腿，
不穿鞋子

最后我想了想，他们教我的东西还没有能难住我的。

不过我要不停地找电池充电，补充能量。真烦人!

后来我发现布家人用一根线从墙上的小洞里导出电来。可惜我不能直接用他们的电，因为电压太高了。

我刚吸完一块手机电池里的电，就听见有人大喊：“我这个破手机这几天怎么了，这么快就没电了？”

“奇怪，我的手机也是，可我刚充过电呀！”

还是布鲁诺最聪明了，他一听就知道是怎么回事：“肯定是小古斯干的！”

“别冤枉人家啦！”布爸爸说。

唉，我也不想这样啊！割草机里的电早被我吸光了。布家人让我干这干那的，都这么耗能量。我天天忙得不可开交，更别提去找Y9了。一闲下来，我就会想到他，可忙活半天也联系不上他。

这家伙到底藏哪儿了？真是急死人啦!

布妈妈也教了我好多事情，像刷地毯、擦玻璃、清洗浴缸和马桶。后来她又教我用吸尘器打扫房间。

布家人教我做这么多活，也算是对我的信任。能帮上他们，我也觉得很开心。

“唉！小古斯，你要是走了，我该怎么办呀？”布妈妈嘴里老是念叨着这一句。这会儿，她正坐在沙发上，抱着一只小猫，看我卖力地干活。她很喜欢把小猫放在腿上，用手抚摸它。每当这时候，小猫都会发出咕噜咕噜的声音。真好玩！噢，对了，这只小猫就是我遇到的第一个“地球人”。刚来地球时，我把它当成了地球人，还礼貌地和它打招呼，现在想想可真滑稽！

看小猫舒服地躺在布妈妈的腿上，
我也好想躺那儿试试！

我不知道被抚摸是什么感觉。看小猫舒服地躺在布妈妈的腿上，我也好想躺那儿试试！不过我可没它那么闲，手头上有一堆活要赶紧去做不说，还要抽空去联系Y9！刚想到这儿，布妈妈又派给我一个活儿，让我修一下厨房里的水龙头，它不停地漏水。

这段时间，我发现地球人有个非常有趣的习惯，就像布妈妈，她经常用嘴亲布鲁诺和布爸爸的脸蛋。真好玩！这动作看上去很亲昵。不过她从来不会对我做这个动作。于是有一天，我决定用鼻子亲她一下，没想到她大叫了一声，转身就跑开了。这是怎么回事？搞不懂！地球人还真复杂！

闲下来，我给编辑发了第四条信息：

：辑编的爱亲

。任信的人球地得获经已我

，西东的棒很些一了会学还

，了坏摔器电充惜可

。电充池电找地停不要

，9Y找力努在直一我

。他到找没还时暂过不

。吧看等等再

！您候问

（字名语球地的我是这）斯古小·

3Y

第6章 秘制黄瓜

有一天，布鲁诺突然问我想不想去小吃店。店是布爸爸开的，就在他们家附近。我早就盼着去啦！

小吃店原来是个白色的大车厢，下面有轮子和几个支架，布鲁诺告诉我它是可移动的。你别说，还挺有创意！小店前面挂着一个牌子，上面写着：布家小吃店。布鲁诺告诉我，别看这个店小，里面的东西可全了，有吃的，有喝的。我看到布爸爸站在一个长长的柜台后，把食物递给其他地球人。

在店里，我要缩成一丁点儿大，不能让别人看见我。我喜欢躲在柜台上的一个瓶子后面。瓶子里装的是腌酸黄瓜。我很快发现，这儿特别适合观察地球人的行为方式，因为好多人买了东西后，会站在这儿聊聊天。

不过也有些地球人一副闷闷不乐的样子，好像很赶时间，吃着东西还不停地打电话，有时候边走边吃。还有些

小吃店

地球人喜欢在小店前多待会儿，跟布爸爸讲一些生活中开心或者不开心的事。布爸爸每次都特别耐心地听他们讲。

“哈哈，竟然有这种事！”我听他说。有时候他也会说：“哎，天下真是无奇不有！”

还有些地球人爱发牢骚，一会儿抱怨这个，一会儿抱怨那个。布爸爸不大喜欢这种人，也不愿意和他们聊天。

有的地球人吃东西时一声不吭，有的则恰恰相反，一说就停不下来，不管什么事都爱说出来让别人听听。

听他们谈话，我发现有些人的智商确实不高。

有一天，小店来了个女地球人，听说她是个天文学方面的专家。她站在柜台边上侃侃而谈，一会儿说小行星撞击地球，一会儿又谈起银河，还有别的星球。站那儿听讲的人都对她的话深信不疑。不过我敢肯定她从来没飞出过太阳系，更别说银河系了。因为她说的好多话都是胡诌，纯属个人想象。看来地球人对整个宇宙了解得不多。

还有些地球人特别爱笑，我慢慢发现笑也分好多种。我总结出一条规律，一般情况下，爱笑的人都会给布爸爸小费。为什么他们管这些钱叫“小费”呢？我看这些钱和别的钱也没什么区别呀。

我把在这儿的所见所闻都记在了日记本上。

有时候，店里生意特别好，布爸爸就能赚到很多钱。地球人的生活离不开钱，我觉得用钱来买东西，也是件很奇怪的事。为什么一些花花绿绿的钞票和大大小小的硬币，就能换来吃的东西呢？我去过那么多星球，还从来没见过这种事儿。看来地球人比较有创意！

有时候，我感觉地球人的行为非常复杂、难以捉摸，比我们高尔奇人复杂多了。我猜可能是因为地球人的脑袋瓜里没有固定程序。这到底好不好呢？有时候还真难说清楚。

小吃店里的食物都有不同的名字。布鲁诺指着那些东西，详细地给我介绍了一遍：“这是薯条、土豆沙拉、白肠和红肠。那儿有烤羊肉块、腌小鲱鱼和小面包。这个白箱子里放的是啤酒、汽水，还有几盒冰激凌，有草莓味的、巧克力味的和覆盆子味的。”

他给我介绍的这些东西，我都挨个尝了一下。身体缩小也有好处，我每次就喝一点儿或吃一小块。对我来说，它们都棒极了！我从来没吃过这些东西。

我最喜欢吃的就是腌酸黄瓜，一个瓶子里一般会装25根。一根根黄瓜短短的，看上去像极了小香肠，只不过是绿色的。

酸黄瓜吃起来脆脆的，有时候我还会拿它蘸点细盐、芥末酱或番茄酱。不同的吃法各有各的味道，我都喜欢。我还试着在黄瓜上喷点汽水或抹点巧克力冰激凌，有创意吧？

直到有一次，我悄悄地往黄瓜瓶里撒了点小星星。就这样，奇迹诞生了！我先吃了一根，觉得特别好吃，就给布鲁诺拿了一根，让他尝尝。

“谢谢！我知道是啥味道。我从来不吃。”他说。

“没事，你先尝尝再说嘛！”我固执地坚持让他吃。

最后他还是让步了：“真拿你没办法，我又不是没吃过！好啦，败给你了！不过我就吃一根！”

说着他接过黄瓜，塞到嘴里嚼了起来。我发现他的表情一下子发生了变化，他睁大眼睛吃惊地问：“你在里面放什么了？”

“撒了点儿小星星。”我说。

布爸爸听到后，笑着对儿子说：“吃了可能会长痘哟！”

“哈哈，老爸，你别逗了！我这么小，咋可能长痘哟？”布鲁诺大声说，“老爸，你也来尝尝！快点儿，尝一下啊！”

布爸爸经不起诱惑，也从瓶子里拿出一根放进嘴里。

“咦，真见鬼，这是什么味？小古斯，你说……你刚才怎么弄的？就撒了点儿小星星，对吧？这黄瓜尝起来有点儿……对了，有点儿外星球的风味！哈哈！”说完，他把剩余的那截全塞到了嘴里，津津有味地吃了起来。看样子布爸爸也很喜欢吃我弄的黄瓜。过了一会儿，他兴奋地说：“哈哈，生意来喽！小古斯，你的黄瓜这么好吃，肯定很抢手！你赶紧再弄一些吧！我们现在就卖卖试试！”

看他那么高兴，我实在不想让他扫兴，可我的小星星本来就不多。没办法，最后我只好实话实说：“我的小星星也不多了，它们非常宝贵。不过如果你愿意的话，我再想想别的办法，做点儿其他口味的黄瓜。”

布爸爸一听就激动地说：“好啊！好啊！那就快动手吧！”

不一会儿，我就想出点子来了：把黄瓜和香肠的味道对换一下！这样黄瓜就有了香肠的味道，而香肠尝起来像黄瓜。是不是一个绝妙的点子？听上去可能有点儿复杂，不过做起来超级简单。我从背包里掏出变形开关，就动手做了起来。

“首先，我要把黄瓜和香肠变成看不见的非物质，提取出它们的味道来。”我解释道。

布爸爸和布鲁诺站在一旁，吃惊地看着我的一举一动。我按了一下变形开关，只听啪啪几声，所有的黄瓜和香肠立刻消失了，不过我把它们的味道保存了下来。

“啊，我们的黄瓜和香肠怎么都不见了？”布鲁诺惊讶地喊道。

“就在这儿呀！”我指着柜台上的两个小方块说道。

“啊，这是什么？”他又问。

“你们叫它增味剂好了。它把黄瓜和香肠的味道保存了下来。”我解释道。

“噢——天哪！”布鲁诺目瞪口呆地说。

“那……那么多黄瓜和香肠就成了这么两个小东西？”布爸爸指着增味剂，满脸疑惑地问。

“你这个问题好傻！我刚才不是解释过了嘛，它们已经变成非物质了呀，非物质怎么能用肉眼看得见呢？现在我只需要它们的味道，就是这两块增味剂。下一步，我要把黄瓜变回原样，加上香肠的味道。”我继续说。

变形开关又啪啪响了几声。“嗯，现在做好了……你们来尝一下，香肠味的黄瓜！最后一步，把香肠还原，再加上黄瓜的味道……”

变形开关又响了两声。

“现在，请大家注意喽，黄瓜味的香肠诞生了！”我大声说道。

布爸爸和布鲁诺迫不及待地尝了起来。看他俩的表情，我猜黄瓜和香肠的味道肯定不错。

布爸爸一会儿看看左手里的香肠，一会儿又看看右手里的黄瓜，结结巴巴地说：“啊？这个……这个真是太不可思议了！”

“小古斯，棒极了！”布鲁诺喊道，说完就把一整根黄瓜塞进了嘴里。我看他的两腮立马鼓了起来，跟两个金鱼眼似的。

布鲁诺吃得正香，就见同学斯特娜风风火火地朝小吃店飞奔过来。

“小心，小古斯！别让她瞧见了！”布鲁诺低声对我说。我赶紧藏到柜台后面，偷偷地往外看。

“嗨，斯特娜！来尝一下我们的秘制黄瓜！”布鲁诺说。

说着，他从瓶子里捞出一根，递给了她。只见她半信半疑地咬了一小口，然后吃惊地看着黄瓜说：“啊，我看花眼了吗？这明明是黄瓜，怎么尝起来像香肠？还热乎乎的！真奇怪！你不是刚从瓶子里给我捞出来的吗？”

布鲁诺在一旁咯咯地笑，布爸爸问斯特娜：“怎么样？好吃吗？”

“哇，太棒了！我还没吃过这么好吃的黄瓜！”斯特娜说着把剩下的全塞进了嘴里。吃完后，她疑惑地看着布鲁诺说：“又是你搞的鬼！”

“商业机密，不能泄露！”布鲁诺还是咯咯地笑个不停。

就在同一天，布爸爸给小吃店换了个新牌子，上面写着：

新品上市喽！！！

布家秘制

黄瓜味香肠！

香肠味黄瓜！

顾客看了都很好奇，纷纷前来抢购。在接下来的几天里，小店大赚了一笔！

布家人对我那么好，不仅让我住花园小屋，还教会我做那么多事情。我非常感谢他们，决定帮他们把生意搞得再红火点儿。

其实在店里帮忙，我刚好可以练练厨艺。

我整天忙活着把那些吃的变来变去。后来我还研制出了草莓味羊肉块、巧克力味薯条、小鲱鱼味冰激凌和汽水味沙拉。

不过尝来尝去，我还是钟情于黄瓜。很快香蕉味黄瓜、草莓味黄瓜和土豆沙拉味黄瓜也新鲜出炉。当然，这些仅仅是个开头！香草味黄瓜、巧克力味黄瓜、鱼味黄瓜和薯条味黄瓜也相继诞生。

地球人大概没吃过这么多种口味的黄瓜。他们吃过后，都对我的黄瓜赞不绝口。

真有趣！看来地球人很容易满足嘛，我只用黄瓜就把他们搞定了！

布爸爸的“秘制黄瓜”瞬间就成了大新闻。慕名前来品尝的地球人络绎不绝。有的甚至从大老远赶过来，只为吃上一根这儿的黄瓜。布家的小吃店这下火了！布爸爸搓着手高兴地说：“‘秘制黄瓜’一炮打响了！”

一看黄瓜这么抢手，我顿时信心大增，拿啤酒和汽水也做起了实验。现在啤酒成了腌黄瓜水的味道，汽水成了酸白菜的味道。不过这些卖得不太好。其实无所谓，毕竟我们的黄瓜那么畅销。光弄黄瓜都够我忙的了！

天天做“秘制黄瓜”，我也没觉得无聊，反倒从中找到了乐趣。只有一件事让我很头疼——变形特别消耗能量，而我的充电器早坏掉了，怎么充电？不过这个问题很快就迎刃而解了。很多来这儿的顾客都有手机。有手机就好办了呀！只要他们离我不算远，我就能轻而易举地把手机里的电吸个精光。这可帮了我大忙了！

可惜布鲁诺不能天天来小吃店，他还要去上学。

“小古斯，陪我去上学吧？”他请求我。我不想让他失望，就答应了。和上次一样，我又变成笔趴在他耳朵上。不过这次我变成了一支红色的笔。

数学课上，布鲁诺也用不着我帮他做题了，他想一个人做，做得也还算快。看来我课下辅导他做题，没白费工夫。现在他对数学越来越有信心，很快连做家庭作业也不让我插手了。只有他实在想不出来的时候，才会让我帮帮忙。

“不错，布鲁诺！进步很快！”数学老师夸奖道，“噢，对了，我上次去你爸的小店买黄瓜时，听他说，现在给你找了个家教，课下辅导你做功课。真有这回事？”

“这……是的，没错，老师非常有耐心……”布鲁诺说。

我知道，他们说的肯定是我。哇，太好了！我竟然成了地球人的老师。布鲁诺的进步也有我的功劳，哈哈，好有成就感啊！

课间休息时，布鲁诺吃了两根黄瓜，和同学聊了一会儿天。斯特娜过来叫他去赛跑，看谁跑得快。布鲁诺拼命地跑，害得我一直担心自己会从他的耳朵上掉下来。不过还好，他跑了好一阵子，我也没掉下来。

课间休息过后，老师让孩子们画一下自己最要好的朋友。画画？哇，太棒了！我第一次看见布鲁诺的画时，就决定以后也要学画画。现在机会终于来了！

小地球人们把彩笔从书包里拿出来，放到书桌上，就开始聚精会神地画起来。布鲁诺把我从耳朵上拿下来，也画了起来，弄得我怪痒痒的。不一会儿，他就画好了。这也是我的第一幅作品哟！我现在是一支笔的样子，没有眼睛，看不见东西，不过听布鲁诺和老师的对话，我猜他画的是我！

“这是谁啊？”女老师吃惊地问布鲁诺。

“我的好朋友！”

“外星人？你朋友是个外星人吗？”

“嗯，没错！”他略带自豪地说。

一旁的斯特娜画的是布鲁诺。

“布鲁诺是我最好的朋友！”斯特娜向老师解释道。

我猜肯定是布鲁诺画得更好。

放学回家后，我终于变回原来的样子。布鲁诺拿出刚才画的画让我看。画上的我长着长长的鼻子、长长的手臂，头上还顶着一根黄瓜。画的背景里有很多小星星。真有意思！从今天起，我也要画画啦！

布鲁诺把他的彩笔给了我，教我怎么握笔。没想到我学得还挺快！凭借记忆力和想象力，我把脑袋瓜里的东西轻而易举地画到了纸上。以前我从来没想过，不借助任何高科技，不用扫描仪，不用照相机，竟然也能把东西描绘出来。真有趣！接下来，我给他画了些高尔奇星球上的东西：机器人小马莫步、我的小房子、活火山。他觉得这些东西都很新奇。我还给他画了几个我很喜欢的星球。我一边画，一边给他讲我在这些星球上的经历，布鲁诺听了非常开心。最后，我把这些画都送给了他。

我略带遗憾地说："今天是我最后一次陪你去学校，以后我要去小吃店帮忙，那儿比学校有意思多了，不仅能看到很多地球人，还能拿黄瓜做各种实验。"

"是啊，其实我也想去小吃店……"布鲁诺说。

"算了吧，你还要上学。不过比上学还要糟糕的事多着哩！"我说。

"啊，还有更糟糕的事？是什么？"布鲁诺问。

我试着安慰他："比方说，在宇宙中飞行时不小心撞上小行星，立马就没命了！"

最后他终于想通了，若有所思地回到自己的房间，玩起了电子游戏。他满屋子都是这种玩具，天天玩也玩不腻。他的手指在小键盘上按来按去，眼睛紧盯着可怜巴巴的屏幕，一副聚精会神的样子。每到这时候，别人都不能去打扰他，否则他会大发雷霆。真搞不明白，那些东西有啥好玩的！

有一次，我按捺不住好奇心，问他："你为什么玩这个？有什么好玩的啊？"

他嘟嘟囔囔地说：“别吵！没看到我在玩吗？”

真有趣，他玩这些东西，也没什么意义，我看纯粹是浪费时间！

这段时间，我又拍了些地球人的照片，还挑了几张有意思的发给了杂志社。

接下来，我又不厌其烦地联系Y9！这家伙到底藏哪儿了？就在这时，我听到无线电收发机那边有动静！我高兴得差点蹦起来！没错，就是Y9！我清清楚楚地听他叹了口气说：**“！我扰打来是老，厌讨么这谁是”**

听声音，他好像有点儿生气。这个蛮不讲理的家伙！我大老远来地球找他，他竟然……真是不识好歹！

我也生气地说：“我是来自高尔奇星球的Y3！你这个家伙怎么搞的，这么长时间了也不给个信儿，害得大家都替你担心！你是不是碰到麻烦了？”

“是的，没错！麻烦还不都是你惹的！”我听他怒气冲冲地说。

“啊，为什么？我是为了找你才来到地球的，早知道就不管你了！”

“我在工作！我忙着数一片麦地里的麦秆，刚数到

Y9生气的样子

93647585947356，你就不知打哪儿冒出来了！现在可好，我又要从头数一遍了！都怪你！”Y9说。

“噢，对不起！我哪里知道你这么忙呢？”我气冲冲地说。唉，Y9还是老样子，脾气差，超自私，根本不去顾及别人的感受，我可是为了找他才来的，他竟然这么对我！太过分了！哼，数你的麦秆去吧！你不就是想用数字来忽悠编辑嘛！从前数豌豆，现在又数麦秆，好吧，数不死你才怪！真后悔，大老远地飞过来找你！

我听他接着说道：“我已经数完树叶了，这件事除了我还从来没有人做过。我也算是开创先河了，哈哈，我敢肯定编辑听了会非常开心！”

“或许吧！我可没你那么肯定！嗨，你觉得干这些事有意义吗？”我问。

“当然了！这些事总得有人来做啊！我这人吃苦耐劳，敢于去挑战别人想不到的事！”他大声说。

“哎哟哟，你说这话，也不怕让人笑掉大牙！算了，你是头任劳任怨的老黄牛，行了吧？唉，可怜的家伙！”我想都没想就随口说了出来，没想到立马把Y9惹火了。

“你是在嘲笑我吗？我现在做这些统计，还不是为了咱们杂志社！我说，你大老远赶过来，不会是为了抢我的功劳，或者奚落我一通吧……”

我打断他说：“好了，好了！拜托你消消气，继续数你的麦秆去吧！有时间再联系我吧！”

“好的，就这样吧！你知道，我这人做事从来不会半途而废。等我忙完手头上的活，再联系你吧。唉，我忙得很，哪有你清闲？”

我不想再和他争论下去，反正听上去他也没刚才那么生气了。

我叹了口气。说实话，我还真有点儿同情他了，这家伙就是个工作狂，也怪可怜的。“那以后再见喽！数完麦秆，记得及时和我联系！工作开心！完毕！”我说。

接着，我用无线电收发机给杂志社发了第五条信息：

：辑编的爱亲

。话完通9Y和刚我

，好很他，心担用不

。忙儿点有是就

，人的趣有些一了现发我

。了极棒物食的们他

，验实多很了做我

。瓜黄的味口同不了出制研

！味美间人是就直简

3Y

第7章　灾星降临

来地球也有些日子了，我的生活还算顺利，对人类也有了一些了解。我把所见所闻都写在了日记本上。还有，天天和布家人在一起，我的地球语也说得越来越地道了。

直到有一天，有个姓伯恩斯坦的地球人突然出现在我的生活里。这颗灾星的降临，让我的生活发生了180度大转变。

那天布鲁诺刚好上学去了，店里只有我和布爸爸。突然有辆黑色的大车停在路边。三个身穿黑衣服的地球人下了车，径直朝小吃店走来。他们点了几根香肠味黄瓜和巧克力味黄瓜，便一声不吭地吃了起来，偶尔还相互点点头。

最后，他们当中有一个人突然说："杜先生，您的黄瓜真不错，果然是名不虚传！我是伯恩斯坦，想必您也听说过我的名字。我这次来是想和您做笔生意，不知您意下如何？"

“对不起，我姓布，不姓杜！”布爸爸猜到来者不善，于是冷冰冰地说。

“亲爱的杜先生，我这人不喜欢拐弯抹角，就开门见山，直接和您说了吧！我愿意出一大笔钱买下您的秘制黄瓜配方。您看怎么样？”

布爸爸半开玩笑地说：“这是商业机密，恕不泄露！我们家的黄瓜是不是尝起来有点儿外星球的风味？”

伯恩斯坦当然不知道秘制黄瓜的秘密所在，只好说：“那好吧！我先不打扰您做生意了，咱们以后找机会再聊！”

“伯恩斯坦先生，我对您的钱不感兴趣，请您别再来打我的主意了！”布爸爸摆明态度，严肃地说。

“哎哟，瞧您，别把话说那么绝嘛！您这儿几点关门？有空的话，咱们坐下来好好聊聊！”伯恩斯坦固执地说。

就这样，伯恩斯坦跟布爸爸磨叽来磨叽去，说什么也不肯走。

说实话，我还没见过这么烦人的家伙！只要布爸爸不答应，他就不肯走，害得小吃店生意都快做不下去了。最后布爸爸只好说："请您晚上到我家坐坐吧！"一听布爸爸这话，那三个黑衣地球人马上坐车离开了。

那些人走了之后，布爸爸对我说："老伯恩斯坦！我的妈呀，他怎么找上门来了？小古斯，他刚才说什么来着，要我的秘制黄瓜配方？他想得美！我可不愿意把你借给他！你说呢，小古斯？"

他冷笑了一声，接着说："哼！那个伯恩斯坦简直钻钱眼儿里去了！他做的那些勾当谁不知道呀！搞些破烂玩意儿来欺骗消费者，真是个没良心的家伙！"

我听不太明白布爸爸在说什么，于是问了一句。他告诉我，伯恩斯坦是一家连锁店的老板。当然，"连锁店"这个词儿和锁一点儿关系也没有。这是一家很大的快餐连锁店，有数千家分店。在整个德国，没人不晓得他的大名！

还有传言说，那家伙对自己的员工不好，给的工资少得可怜。我觉得这种事他肯定做得出来。第一次见到这家伙，我就感觉他不是什么好东西。

当天晚上，伯恩斯坦果真出现在了布家门口，不过这次就他一个人。

布妈妈带他走进干干净净的客厅。这儿我今天早上刚打扫过，窗子也擦得一尘不染。布妈妈给他端来一些饼干，还倒了杯咖啡。布爷爷和布爸爸就坐在他正对面。

布鲁诺在楼上玩电动玩具。我来到花园里放松放松。一整天，我都缩成一丁点大坐在小吃店里，现在终于可以舒展开身体，活动活动胳膊和双腿啦，好开心呀！

不过现在那家伙来了，我又不能乱跑了，除了布家人，我可不想让别人看见我。布家人也时不时地提醒我。其实不经常露面也好，毕竟有些地球人心眼儿不好。万一我有个三长两短，那可就糟了！于是我乖乖地躲在花园里，从窗户偷偷往屋里瞧。

"亲爱的杜先生，您现在可是大名人了呀！别人都管您叫'黄瓜大王'！您到底用的什么诀窍呀？"我听伯恩斯坦说。这人真健忘，布爸爸告诉过他自己的名字了，可他这次还是没叫对。

"噢，我们聘了个小助手，帮忙研制各种口味的黄瓜。"布爸爸说。

伯恩斯坦噘起嘴，装出一副很可爱的样子，说道：

“那您肯定不愿意透露他的名字喽，是不是呀，亲爱的杜先生？”

“是呀，这怎么能说呢！我们要说了，那不就明摆着砸自己的买卖吗？还有，我们姓‘布’，不姓什么‘杜’！”布爷爷用重重的语气说。

“噢，我早该猜到的……”伯恩斯坦傻愣了一会儿说。

“伯恩斯坦先生，不好意思，这是我们的祖传秘方，不能随便告诉别人。”布妈妈一边说，一边用手抚摸趴在她腿上的小猫咪。

“我想和您做笔生意，放心好了，您肯定不会吃亏，准会大赚一笔……”伯恩斯坦话刚说到这儿，就开始不停地打喷嚏。一下，两下，三下……我的神啊，这人连打喷嚏也没完没了！

“对不起，您的猫……阿嚏……阿嚏……阿阿阿嚏！”

“噢，原来您对猫过敏？真抱歉！”布妈妈抱起小猫咪朝阳台走去，然后把它放到花园里。

我趁机小声对她说：“对了，就这样，别松口！态度要坚决！千万别上他的钩！如果需要帮忙的话，就说一声，我在这儿等着！”

“没事，小古斯，放心好了！我们能搞定！”布妈妈俯下身，趴在我耳朵上悄悄说，说完又回屋了。

过了一会儿，伯恩斯坦终于不打喷嚏了，开始用纸巾擤鼻涕，擤完后说：“听好了，我出3000欧元，买你们的秘方！怎么样？还可以吧？”说着，他从西装上衣口袋里掏出来几张纸币，用力砸到面前的桌上。

“听起来不错！不过我们真不想卖！”布爸爸说。

布爷爷接着说：“我们现在靠的就是秘制黄瓜，没了这个我们咋活？用3000欧元就想买断，算了吧，我们不上这个当！”

“4000！”伯恩斯坦提高嗓门说。

这家伙还真顽固，不撞南墙不回头！

“很抱歉，不行！”布爸爸摇着头说。

“5000！不能再高了，就这个数了！我也够大方的了，你们看卖还是不卖吧！”伯恩斯坦又拿出来几张钞票，砸到桌上。

“伯恩斯坦先生，你要是想吃黄瓜，随时可以来，想要多少都行。就是这个秘方，我们实在不能卖。”布爸爸愧疚地说。

只见那个家伙双手交叉放在胸前，想了一会儿又说：“那好吧，下周一之前给我一万根！一下买这么多，要给我个优惠价！”

“一万根？这个有点困难……”我发现布爸爸朝我这里瞟了几眼。我心里很清楚，要在这么短的时间内弄出一万根黄瓜，根本不可能！就是累死我，也变不出这么多来！

“您再考虑一下吧，亲爱的杜先生！”伯恩斯坦站起身走了出去，还没忘把钱塞回口袋里，“先给我一万根！至于秘方，您可以再好好考虑一下，咱们以后找时间再谈。6000欧元也行，不能再高了，这是我出的最高价了！回头我再联系您！”说完他开着车走了。

他刚走，布妈妈就惊呼道：“我的天哪！我算长见识了，这家伙一根筋，想要什么，非得千方百计搞到手才罢休！”

“那我们现在该怎么办？”布爸爸挠着头，一副不知所措的样子。

布爷爷说：“我们什么也不用做，静观其变！这家伙肯定嗅出点苗头来了，觉得咱这买卖能赚大钱，就不惜任何代价，想把秘方搞到手。他买过去之后肯定会大批量生产，把价格压得很低，那我们就完喽！”

“噢，这样子啊？不过他人挺大方……”布妈妈半信半疑地说。

“大鱼吃小鱼，从来都是这样的！你太单纯啦！那家伙耍什么鬼心眼儿，我用脚指头想都想得出来！”布爷爷越说越来气，“哼，想引我上钩，没门儿，也不看看我比他多吃几年饭！你想玩，没问题，老爷子我奉陪就是！看谁厉害！他下次要是再来，看我不收拾他！对了，我们还有小古斯呢，让他用激光枪好好教训那家伙！”布爷爷这会儿要气炸了。

“好了，好了，爸，别说了，先消消气！”布妈妈安慰道，“我看他挺客气的呀，还肯出那么多钱……别生气了，身体可是自己的！”

“你看走眼了！这种人我见过一箩筐！”布爷爷嘟囔道，“这家伙手段多着哩。他先是甜言蜜语，想哄着你相信他那些鬼话。如果你不依着他，他就会和你动真格的！只要是他想要的，哪怕上刀山下火海，他也要搞到手。这家伙心狠手辣……”说着，布爷爷气冲冲地朝花园小屋走去，他要在那儿吹吹萨克斯管。这会儿也就只有音乐才能让他消消气，慢慢平静下来。

“唉，好久没见老爸这么生气了。”布爸爸愁眉苦脸地走进了花园。

我真搞不明白，布爷爷用得着这么大动肝火吗？地球人的情绪变得还真快！

“布爷爷，您去过别的星系吗？银河外的星系？”我问他。

“啊？没有。”他摇摇头，吃惊地看着我。

“您最好去外面的世界看一看，先把钱呀，生意呀这些破事抛到脑后，放松放松！相信我，这对您肯定大有裨益。”

布爷爷勉强挤出一丝微笑说：“好吧！等坐太空车像坐公交车那样便宜，我就去宇宙逛逛了。”我一看就知道，他肯定是随便说说而已。

没想到，果然被布爷爷说中了。伯恩斯坦还是坚持要我们的秘方，一点儿都不松口。几天后，他寄来一封信，说肯出7000欧元买秘方。信里，他还催促我们赶紧拿出一万根黄瓜来。布妈妈的意思是答应他算了，她说：“7000欧元也不少了，拿这笔钱咱们就能好好整一下门前的露台了。我一直想买个电动伸缩遮阳篷……”

布爷爷坚决反对，他对布妈妈说：“你脑子出问题了吧？我看你也是财迷心窍！难不成咱们要把小古斯借给他？这种事反正我是做不出来！还有，可怜的小古斯就是累死，也变不出一万根黄瓜来呀！”

布爸爸也是这么想的，于是再一次拒绝了那家伙的提议。

最后，连伯恩斯坦的律师也开始往家里寄信了。他说伯恩斯坦先生愿意出高价，收购布家人的小吃店。他非常想买下小吃店，当然包括生产黄瓜的秘方。

“亏他想得出！我就是不卖，看他能把我怎么着！”布爷爷坚定地说。最后布家人还是没答应。

不久，小吃店前又来了辆黑色轿车。一个身穿黑西装的地球人坐在车里，鼻子上还架着一副墨镜，让人感觉怪怪的。等小吃店里的客人都走后，他才从车里走下来，快步来到柜台前。

“亲爱的布杜先生，伯恩斯坦先生还等着您的回复呢！”

“我们姓‘布’，不是什么‘布杜’！”布鲁诺生气地说。他今天刚好不用上课，就来店里帮忙了。

这个地球人接着说：“噢，对不起，笨先生！我看您还是同意吧！伯恩斯坦先生很有耐心，但他的耐心也是有限的哟。我想您大概也不愿意看到自己或家人出什么事吧。”

“您这话是什么意思？想威胁我吗？”布爸爸生气地说。

那个地球人假惺惺地说：“哪儿的话呀，笨先生，这也就是个小小的忠告而已。我看您也是生意人，通情达理，所以还是乖乖地依了伯恩斯坦先生吧。您知道，只要他想得到的东西，还没有弄不到手的。希望您别再考验他的耐心啦！万一他对您失去了耐心……”

和往常一样，我缩成一丁点儿大，悄悄躲在柜台上的瓶子后面。布爸爸和这个人说话的时候，我一直琢磨着要不要出来吓唬吓唬他。这家伙明摆着就是来找碴儿嘛！真可恶，竟然恶语要挟我们！

我发现他裤子口袋里有两部手机，连忙把电吸了个精光。接着我从上到下把他仔细扫描了一遍，发现他的夹克衫里藏着一把枪，是那种相当老式、装有子弹的左轮手枪。这种玩意儿我以前见过，对我来说当然没什么威胁，但对地球人来说可是相当危险的。

我想都没想，立马伸出弹簧臂，把那把手枪掏出来放到了柜台上。那人一看，不知从哪儿冒出来这么长一截手臂，顿时就吓傻了，呆呆地看着手枪，不知如何是好。

“噢，我的神啊！”布鲁诺吃惊地盯着手枪，大声喊道。

“啊，这是咋回事？”布爸爸赶紧藏到了柜台后面。

这个地球人反应还真迟钝！他看着柜台上的手枪，呆站了好一会儿，然后一声不吭地转身走开了。

“谢谢，小古斯！要是你不在，我准会被他吓个半

我一下子从他的上衣口袋里
掏出了一把手枪。

死！”布爸爸惊魂未定地说。

“别客气！举手之劳。”我简单回了一句。

不一会儿，来了几个年轻人。布爸爸又忙着招呼客人了。他们点了几根草莓味黄瓜。

“真不凑巧，刚好卖完了。要不换个口味？”布爸爸说。

“没事，老板，看样子生意不错呀！那我们就换几根香肠味和巧克力味的吧。”他们异口同声地说。

他们一看就是很友好的地球人，是真心喜欢吃我的黄瓜。

他们走后，我发现小吃店的气氛不大对头。布爸爸看上去心不在焉的，布鲁诺也是愁眉苦脸的。

看来，这次的事没那么简单，估计还有下文。

接着我给杂志社发了第六条信息：

：们事同和辑编的爱亲

，销畅很上球地在瓜黄的我

。瓜黄的味力克巧是其尤

，吃欢喜也定肯们你想我

。些一带们你给时去回我等

，人球地坏个几了到遇我

，明查未还穴巢体具的们他

。中之控掌在都切一过不

。们你候问

3Y（王大瓜黄）

第8章 快被冻死的“黄瓜”

我以前告诉过大家，我们高尔奇人没有预见未来的能力。虽然高尔奇技术人员一直在努力，但到目前为止仍未取得任何成果。当然，我相信总有一天他们的努力会得到回报，那时，我们高尔奇人就能预测到未来将要发生的事情了。

如果现在我能预测到几个小时后要发生的事情，估计我就不会这么淡定地在小吃店里变黄瓜了。或许我会离开布家人，做点别的事。就算去找同事Y9，和他一块儿数数麦秆也比待在这儿好啊！我要是走了的话，也就不会发生下面这件糟糕的事了。

如果……如果……如果……

都是地球人的思维方式在作怪！我们高尔奇人从来不会这么想！只会说地球语不就得了，干吗还受他们思维方式的影响呢？不去想了，反正事情都发生了！

当斯特娜又出现在小吃店里时，真正的灾难开始了。

“小心，小古斯！斯特娜来了……”布鲁诺悄悄告诉我。

斯特娜是个大嘴巴，不管什么事，只要让她知道，不一会儿的工夫全地球人肯定都知道了。虽然她和布鲁诺是好朋友，不过还是别让她看见的好。

斯特娜骑了辆自行车，轮子很细，她的两只脚要不停地用力蹬，车子才能往前走。这么傻的发明，地球人都能想出来，还真有意思！我赶紧拍了几张照片，打算带回去给同事们瞧瞧。

“嗨，布鲁诺！您好，布先生！”斯特娜一边喊，一边把自行车靠在小吃店旁，径直走到了柜台后面。她从来不会像别的地球人那样乖乖地站在柜台前。

“快躲起来！”布鲁诺又悄悄告诉我。

我灵机一动，立马变成一根粗粗的小黄瓜。现在我全身深绿色，胖乎乎的，看起来可爱极了。布鲁诺拿起我，放到了盘子里。

“嗨！”布鲁诺和斯特娜打了个招呼。

“想不想来个巧克力冰激凌？”布爸爸问。

“好啊！我今天想吃个大的。”斯特娜说。

布爸爸笑了笑，走到小冰柜旁拿出来一个。

吃完冰激凌，斯特娜笑嘻嘻地说：“我还想吃根小黄瓜。对了，有新口味的吗？”

我乖乖地躺在盘子里，感觉她的眼睛一直死盯着我看。

“新出了草莓味的黄瓜，不过今天都卖完了。要不来根香肠味的或巧克力味的？”布鲁诺说。

“盘子里那根胖胖的小黄瓜是什么口味的？”她指着我问道。

“噢，那根不能吃！”布鲁诺赶紧说。

“为什么不能吃？看起来好诱人呀！”

我的脑袋瓜飞速地运转着！

我能感觉到，她用手拿起我正往嘴里放。我的脑袋瓜飞速运转，要赶紧想个法子才行！立马恢复原样？集中精力，变形开始！不过我转念一想，要是这样的话，我的身份不就暴露了吗？不行！黄瓜突然成了个外星人，不吓死她才怪！到底该怎么办？我左右为难，这样不行，那样也不行。可我总得想个法子，要不马上就真成地球人的食物了！绝不能坐以待毙！好吧，我就豁出去了，集中精力，变形开始！就在这时，布鲁诺突然大声喊道："不要！"说着他立马把我夺了过去。

"就是这根不能吃，因为……因为……"他一时间脑子短路，竟然想不出个好借口。

"噢，那根黄瓜已经有人预订了！"布爸爸赶紧说了一句来解围。

"这样啊，没事！那就重新给我一根吧！"斯特娜说。

我顿时松了口气，心想危险终于过去了。没想到高兴得太早了，接下来发生的事情更惊险。

突然小吃店前又来了辆车。肯定是伯恩斯坦那家伙派来的！车停下后，一个身穿黑衣的地球人走了出来，鬼鬼祟祟地来到小吃店前。

我现在还是根黄瓜，看不见东西，只能靠听觉。很多事都是后来布鲁诺告诉我的。

布爸爸大概猜到来者不善，紧张兮兮地说：“您……您好！”

“怎么了？”斯特娜看布爸爸不太对劲，便问道。

她当然不知道到底怎么回事，可一时半会布爸爸也和她说不清楚。

“好啊，杜老板！”黑衣地球人说。

“您好！”布爸爸回了句。

“秘制黄瓜很火嘛，给俺来点！”

“您是伯恩斯坦先生派来的吗？”

“嗯，是他让俺过来的！”

“噢，对不起！他要的一万根黄瓜，我们做不出来。我告诉过他了……”

“没事，俺这回就要几根。不管啥口味，各来几根呗！”

“好的！明白，明白！”布爸爸一听顿时舒了口气。他赶紧拿了个袋子，往里面装了几根。

“就差草莓味的了，不好意思，刚才卖完了。”布爸爸把袋子递给那个人时说。

黑衣人在柜台上放了张钞票，转身就要走。

“等一下！还没找钱！”布爸爸说着赶紧从抽屉里找

零钱。

“算了，甭找了，这根俺也拿着啦！”说着，黑衣人把我也放进了袋子里。

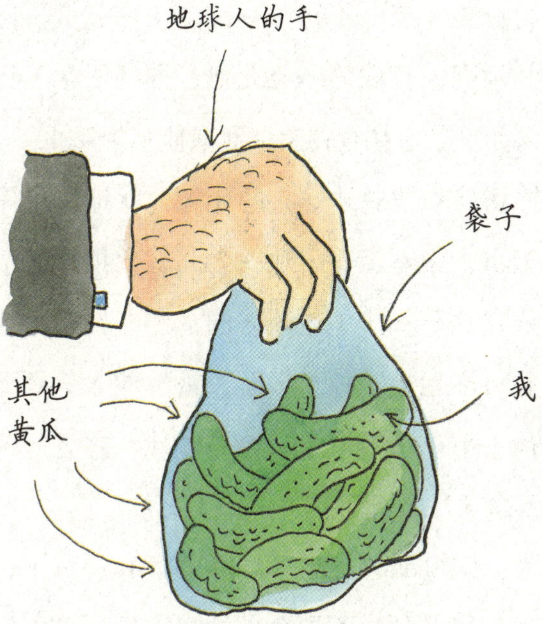

布鲁诺和布爸爸还没反应过来，那人就提着袋子走了。

“你俩怎么回事？不是说那根早有人预订了吗！”斯特娜喊道。

可是一切都太晚了，黑衣人早钻进车里，飞快地离开了。

我在袋子里和别的黄瓜紧紧地挤在一块儿。唉，这种感觉，怎么形容呢？反正特别不好受！

黑衣人是伯恩斯坦那老家伙的手下，肯定也不是什么好东西！我要赶紧想个法子脱身才行！对了，我还有件秘密武器——激光枪，不过我要先变回原形才能用。好了，集中精力！唉，怎么不行呢！我的小脑袋瓜不停地胡思乱想。我的神啊，让我静一会儿吧，拜托了！不行，还是不行，怎么办？难道从今往后，我只能当根黄瓜了？

没想到，刚摆脱地球人的牙齿，就掉进了黑衣人的手心。真倒霉！说不定……他一会儿就会把我送给伯恩斯坦那老家伙，这不又成了地球人的盘中餐？唉，他到底想干什么？我可不想被吃掉！天哪，被地球人放到嘴里，用尖锐的牙齿一下一下嚼着吃，会是种什么感觉？啊——好恐怖！我不敢再往下想了……

好了，别再胡思乱想了！静一下心，对了，放松……集中精力！好样的！不要分散注意力！我可不想一辈子当根黄瓜，在地球人的牙齿间丧生！糟糕，我又开始胡思乱想了。看来变形是没指望了。突然，我感觉自己很紧张。咦，只有地球人才会紧张呀，我怎么也紧张起来了呢？看来我是越来越像地球人了，真要命！

就在这时，周围一下子变得异常安静。大概是黑衣人关上了汽车发动机。我感觉他又把我提了起来。天哪，要带我去哪儿？他加快步伐小跑了起来。我甚至能清楚地听到他急促的脚步声。我在袋子里被别的黄瓜挤来挤去，滑来滑去的真不爽！

不一会儿，他的脚步停了下来。我听到一串钥匙发出的哗啦啦的声音。黑衣人好像打开了一道门，上了个台阶，又打开一道，接着又开了一道。这是什么地方，门怎么这么多？还好没第四道门了。走进屋里，他把我和别的黄瓜倒在一张冰冷的桌上，因为用力太猛，黄瓜滚得到处都是。他用两根手指夹起我，举到某个高度，就这样持续了一会，又把我放回到桌上。

这儿冻死人了，比高尔奇星球可冷多了。说实话，我还从来没觉得这么冷过。又过了一会儿，他好像把我们放进了冰柜。

先讲到这儿，我来插一句，大家还记不记得我一开始讲的情形？一根黄瓜躺在地球人的桌上。

每当回忆起这段悲惨的经历，我就直冒冷汗。

房间里的寒气就像千万根针扎着我的身体。这种感觉实在太痛苦了！

其他黄瓜的死活当然无所谓啦，反正它们也没什么知觉。可我和它们不一样！我好担心，好害怕！寒气正慢慢侵入我的体内。我感觉脑袋里的几个处理器已经不管用了。我的听力也越来越差，最后我什么也听不见了。唉，看来变形真是没指望了。

突然，我想到了杂志社的同事，他们大概正坐在暖暖的会议室里，说什么也不会想到我目前的处境。

我又想到了美丽的高尔奇星球。那里非常和平，一切都很美好、很惬意、很舒适……那里人与人和睦相处，而在地球上，有这么多坏家伙，有争执、有纠纷、有暴力，还有战争……

唉，冰柜里冻死人了，估计有零下20摄氏度，害得我根本没法思考。我的身体也越来越虚弱。没办法，只剩最后一招了：发送紧急信号！

我们高尔奇人身上都有紧急按钮，只要按一下，求救信号就会自动发送出去。每个接收到信号的人，不管在哪儿、在做什么，都要尽快去搭救同胞。这在高尔奇算得上是金科玉律，还没人敢违反这一条例。

我用尽最后一丝力气，让体内的中央处理器动了一下，紧跟着我的身体也动了起来，剧烈的震动一下子激活了我的紧急按钮。我不得不佩服我们高尔奇星球上的技术人员。他们想得这么周全，不管我变成什么，这个按钮都不会消失，它只会跟着变小，但功能不会丧失。如果行动受到限制，只要用一丝力气动一下中央处理器，就能激活按钮。这种办法，也就我们高尔奇人能想得出来。

虽然求救信号发出去了，但我心里非常清楚，自己得救的概率很小。在地球上也就只有我和同事Y9。这个死脑筋肯定还在数麦秆，怎么会来救我呢？此时此刻我真的好想他！前不久，我还是那么讨厌他。唉，现在我身陷险境，他一下子成了茫茫宇宙中对我最重要的人。真没想到，困境竟然能把人的想法彻底改变。

再后来，我就被冻得失去了知觉，什么也不知道了。

第9章　好胜的Y9

不知道躺了多久，我终于醒了过来。醒来时，我感觉周围好暖和、好舒服。我这是在哪儿？昏睡了多久？我一头雾水，完全没有头绪。突然，我发现雷达又能用了。太好了！我先定位一下房间。不知是谁把我从冰柜里拿出来了，不过周围还是一堆黄瓜，还好没先前那么挤了。外面就是舒服呀！哇——真好！我冻僵的脑袋瓜又能思考了，我的体力也在慢慢恢复，不错的迹象！

就在这时，我听到咚咚咚的声音。这是怎么回事？

我仔细听了一下，好像是菜刀剁在案板上的声音。这下糟了，估计有根黄瓜已经被切碎了。接下来会不会轮到我……我刚才的兴奋劲还没过去，又担心起来。我的神啊，怎么办？怎么办？还不如让我待在冰柜里呢！我可不想被切碎！唉，我怎么这么命苦呢？一想到要被人用刀子剁了，我就不寒而栗。

我现在的处境更糟了！

现在分分秒秒都很关键，我想好了，集中精力，恢复……

突然手机响了。我听到一个地球人用低沉的声音说："去看电影？不大方便，亲爱的，今天我刚好有点事，晚点才能回去……嗯，是的，我要先研究一下布家人的黄瓜……什么？嗯，是的，伯恩斯坦先生想破解他们的秘方。他今天就要结果，要得很急，害得我又要加班了……"

伯恩斯坦这家伙想得倒美，还想破解我们的秘方。哼，没门！他还真以为自己啥都能做到啊？不用变形术，甭想搞出美味黄瓜来！哈哈，变形术可只有我们高尔奇人才会哟！

趁这家伙和他女朋友打电话的机会，我集中注意力，准备变形。我能预感到这次变形肯定会成功。刚才好好睡了一觉，现在这里又暖和，我的体力也恢复正常了。

突然，我的体内迸发出一股很强的电流，迅速贯穿全身。刹那间，我整个身体开始膨胀，皮肤胀得痒痒的，变形开始！先从脚，然后慢慢往上，一直到头部。没几秒钟，我就变回了原样。

我站在桌子上，眼睛死死盯着那个地球人。他身穿白大褂，正拿着手机打电话，看到我，他一下子就吓傻了，呆呆地站着，小眼睛越睁越大，嘴巴也张得很大，像是要打哈欠的样子。

“啊……你……哦……”“白大褂”结结巴巴地说。

真有趣，没想到地球人这么胆小！突然他大叫了一声。这声音也太大了吧，万一把别的地球人引来可就糟了！我赶紧伸出弹簧臂，捂住他的嘴。

“白大褂”被吓得踉踉跄跄地退了几步，不小心撞到了一把椅子，然后直挺挺地摔在地上，再也没有动弹。

还好危险暂时过去了，但前面的经验告诉我，还不能高兴得太早。“小心驶得万年船”，这绝对是至理名言！

我灵机一动，赶紧伸出弹簧臂
捂住了他的嘴。

我收回弹簧臂，看了一眼躺在桌上的黄瓜，有几根已经被切碎了。桌上还有个显微镜，我凑过去看了一眼，镜片下放着片黄瓜。想用这种呆瓜东西破解我的秘方，哈哈，不让人笑掉大牙才怪！

“白大褂”直挺挺地在地上躺着，一动不动。我趁机打开窗子，想赶紧逃离这个地方。就在这时，我背包里的无线电收发机响了。

是Y9！没错，他肯定就在这附近。

来得还真是时候！我心想。

他肯定早就收到我的求救信号了，磨磨蹭蹭现在才来。这家伙就这样，从来不会把别人的事放在心上！果然不出我所料，不一会儿他穿着气垫鞋慢悠悠地朝我飞来。

他故意装作气喘吁吁的样子说："我来了！出什么事了？"

Y9气喘吁吁地说："我来了！出什么事了？"

“唉！你来得还真快！我要是等着你，恐怕早就没命了！”我没好气地说，不过心里还是庆幸他终于来了。

“到底怎么回事？”他问。

“你数麦秆的时候，我被冻在冰柜里出不来，还差点儿被切碎！”

“啊，这么严重？”

我飞速地给他讲了事情的来龙去脉。刚讲完，Y9就说：“我一收到你的信号，就立马赶过来了。不过路上花了很多时间，找你找了大半天！可能是我的导航仪需要升级了。”

“噢，没事！看我现在不是好好的吗？”我说。

“你的黄瓜真有那么好吃吗？”Y9吃惊地问。

“是啊，地球人都买疯了！我前几天还给杂志社发了条信息，说回去的时候，给他们带几根尝尝。我猜他们早盼着我回去呢。”

我刚说完，Y9愣了一会儿，若有所思地点了点头。我还不清楚他？他肯定又嫉妒了，怕我在大家面前抢他的风头。

“你麦秆数得怎么样了？”我想转移一下话题。

“马上要数完的时候，你的求救信号来了……”他嘟囔道，好像等着我向他说抱歉，不过我一句话也没说。

我俩就这样坐在窗台上，往下一瞧，天哪，下面黑压压的全是人。那些地球人朝我们不停地做手势，嘴里还叽里呱啦地说着什么。

“可能是我刚才飞过来的时候，他们看见我了。”Y9说。

“啊，你就这样飞过来的？你傻了呀？怎么没变形？你知道，有些地球人对我们外星人可不怎么友好……”

我话还没说完，门砰的一下就被打开了。伯恩斯坦急匆匆地冲了进来。

“嗨，怎么样了？出结果了吗……”

接着他发现了那个躺在地上一动不动的地球人。

他跑过去，摇着那人喊道：“迈耶尔先生！您还好吧？”摇晃了半天，那人还是一声不吭。

伯恩斯坦一转身，刚好看到我和Y9坐在窗台上。我冲他说了句：“您好！”就在这时，我看见他的脸越来越红。哈哈，没想到坏地球人看见了我们外星人也会害怕。

出于礼貌，我介绍道：“我的名字是高尔奇，古斯塔夫·高尔奇！对了，这位是我的同事Y9。我们是高尔奇星球上的记者，来地球上执行任务，不会伤害您的，但我希望您也不要打我们的主意。还有，我刚才在冰柜里差点儿被你们冻死，希望类似的事情以后不要再发生了！”

他眨巴眨巴眼睛，好像根本不敢相信眼前发生的事，最后看着我们点了点头。

Y9说："嗯，他说得没错！我收到求救信号，放下手中的活就赶过来了，还好他现在安然无恙。都怪你！"

伯恩斯坦靠在桌子旁，深吸了一口气，定了定神，然后结结巴巴地说："您……您是谁？我不明白……我……我就想……要黄瓜的秘方……"

我打断他的话说："我早知道！不过根本就没什么秘方，要会变形才行！只有我能做到！"

"我也行！我也会变形！"Y9在一旁纠正道。

这老家伙回过神来，眼睛滴溜一转说："噢，噢，我明白了……如果我没猜错的话，你们俩就是布家聘请的'专家'喽？"

看他那副老奸巨猾的样子，不知又在打我们什么主意。

不知好歹的Y9回了一句："当然可以这么说啦！我也会变形，也能弄出那种黄瓜！"

"嗨，别犯傻了，你知道自己在说什么吗？"我狠狠地对他说。

"我爱说啥说啥，用不着你管！我就是会变形，没准弄的黄瓜比你弄的还好吃！"Y9说。

Y9可真不知好歹！气死我了！真后悔把他喊过来！

他这人就是见不得别人比他强，不管什么事，都得先让他出够风头才行。现在，你瞧，他倒嫉妒起我生产黄瓜来了。你以为他真想帮那个家伙？那就想得太简单了！他肯定是想搞出点黄瓜来，好显摆显摆自己。好吧，让他逞能，这下子捅了马蜂窝，还乐呵呵的！

“棒极了！”那家伙兴奋地说。

这会儿，躺在地上的白大褂地球人也醒了过来。他一边呻吟，一边吃力地爬了起来。

“您好些了吗，迈耶尔先生？”伯恩斯坦假装关心地问道。

“那……那……那儿……”迈耶尔先生指着我们，结结巴巴地说。

“噢，没事，不用怕！这两位外星人是来地球执行任务的，刚才说很想帮我们生产黄瓜。我说得没错吧？”他转向Y9问道，生怕他立马变了主意。

“你想都别想！”我大声喊道。

Y9一听，立马从窗台上跳下来，傻傻地朝那家伙走过去说：“随时乐意为您效劳！”

“那我们现在就开始吧！”伯恩斯坦高兴地说。

“没问题！您想要什么样的黄瓜，我就给您变什么样的！”

“你说什么？你疯了呀！不能这么做！”我冲Y9喊道。

“你少来管我的事！我又不是三岁小孩，做什么不用你来管！”他怒气冲冲地对我说。

Y9说话太气人了！算了，我不管他了，他爱做什么就做什么好了！反正我苦口婆心地劝说也没用，就随他去吧，等尝到了苦头，他就知道我的良苦用心了！他这人一根筋，不撞南墙不回头，那好，就让他撞撞试试，知道疼了再回头来找我，我也就有话说了。

想到这儿，我也没和他道别，就直接从窗户飞了出去。

我的下面还是黑压压的人群，那些地球人看我飞了出来，都伸着脖子往我这儿看。不管了，我还是继续往前飞吧，反正都让他们看见了，变不变形也无所谓了。

要赶紧飞回布家人那里，我的能量快没了！突然，我好想念布鲁诺。我怎么会想念一个地球人呢？真奇怪！但不管怎么说，这种感觉让我心里暖暖的。我甚至想笑一个，来表达我内心的喜悦。我见地球人经常这样做。于是，我用力活动了一下脸部僵硬的肌肉，试着笑了一下。不知道做得成不成功，没事，就算不成功，我也很开心。

接下来，我检查了一下体内的能量系统和脑中的神经腱，我怕这些东西会被刚才的寒气冻坏，还好没出什么问题。最后我检查了一下硬盘，也没事。太好了！我一直悬着的心终于放了下来。

在路上，我给杂志社发了第七条信息：

：辑编的爱亲

。奇尔高·夫塔斯古是我

，劫一过躲刚刚

！死冻被儿点差

！碎切被儿点差

！人球地的坏很了到碰

，人个那帮还然竟9Y

。了题问出是怕子脑的他

，奇尔高回紧赶他议建我

。告劝听不他但

，回返就快很我

。下一尝们你让瓜黄着带

，险惊很遇遭的上球地在

。写再后以道报细详

。您候问

3Y

第10章　真正的黄瓜大王

我飞进布家花园，看到他们一家人正坐在露台上。布爸爸躺在躺椅上读报纸；布妈妈正在打电话，手还不停地抚摸着小猫咪；布爷爷拿着一把小剪刀，正咔嚓咔嚓地剪鼻毛。

通过这段时间的相处，我对布家人越来越了解。和他们在一起，我每天都能学到很多东西。我知道了房子和花园里各种物品的名称和功能。我知道了布爷爷脸上的毛发原来叫“胡子”，布爸爸天天读的薄薄的纸叫“报纸”，还有那些用来坐的东西，分别叫作沙发、凳子、椅子、长椅和躺椅。我知道了什么是牙线，如何报税，怎么对垃圾进行分类。我还知道了小猫咪怎么便便，噢，对了，还认识了夹子、内衣、吸尘器等物品。之前，我见都没见过这些东西，因为我们高尔奇星球上根本就没有。

现在，地球语的词汇我差不多都掌握了，不仅如此，我还能非常熟练地运用它们。我的地球语真是突飞猛进，我敢肯定，我说得绝对比Y9好，还有可能比布鲁诺说得好。我发现布鲁诺有时候说话不清楚，还磕磕巴巴的，平常都是用简单句，很少用长句子。

飞到布家人身边，我发现布鲁诺正在摆弄收音机，弄来弄去，收音机终于出了点声，放的是地球人的音乐，听起来很原始，那些唱歌的人只顾扯着嗓子喊，像是在痛苦地挣扎，难听死了！

因为急需能量，我一下子就把手机和收音机里的电吸了个精光，周围顿时安静下来。这会儿，布家人才看见我，个个喜出望外。“小古斯！”他们异口同声地喊着我。

“回到你们这儿，好开心呀！”我高兴地说。

布鲁诺猛地站起来，冲到我面前，紧紧地拥抱了我一下。这种问候方式我还没见过，不过让我感觉很温暖。布爷爷激动地说：“小古斯，你终于回来了！我们大家一直都很担心你呢！”

“是啊，爸爸还想了个营救计划，说什么也要把你救出来！他都想带上猎枪去抢你了！”布妈妈说。

接着我绘声绘色地讲了讲自己的遭遇。大家瞠目结舌地看着我。

“噢，天哪，真惊险！我还以为你早用激光枪把那家伙解决了呢！”布鲁诺大声说。

“可我无法集中精力，老是胡思乱想，结果就变不回来了。我被冻在冰柜里，成了根冰冻黄瓜，被人拿出来后，又差点儿被切碎。真没想到还能回来见到你们。”我解释了一下。

“好歹事情总算过去了！我们这儿永远都是你的家……”布爸爸说。

“伯恩斯坦这个疯子！十恶不赦的家伙！居然想把咱们的小古斯切成片，我要和他拼了！”布爷爷生气地说。

接下来，我又给他们讲了Y9的事，说他正替伯恩斯坦做事，也想变出各种口味的黄瓜。

“他也是外星人吗？我的老天爷呀，你们到底来了几个？”布爷爷问。

“就只有我们俩。”我说。

“小古斯，你说，Y9有能耐大批量生产黄瓜吗？”布爸爸皱起眉头问。看样子他很担心别人抢走自己的生意。

“哼，大批量生产？不累死他才怪！他是看我弄的黄瓜挺好吃，很嫉妒，想趁机显摆一下自己。”我说。

“他肯定赶不上你！”布鲁诺说。

布爷爷一边剪鼻毛，一边说：“等等看吧！说不定又有好戏看了！”

“小古斯，咱们的草莓味和巧克力味黄瓜卖完了，能再弄一些吗？”布爸爸问我。

说心里话，让Y9一搅和，我都没兴趣再弄黄瓜了。我可不想和他争来争去的，搞得两人都很累，有啥意思呢？再说，我还想赶紧给《大爆炸》杂志写篇报道呢。

“伯恩斯坦那家伙想砸咱家的买卖！哼，没门！只要有小古斯在，咱们就不怕他！”布爷爷说。

真有意思，地球人把钱看得这么重要。在我们高尔奇星球上从来不会有这种事。我们根本不用钱，生活必需品都是免费的。如果想要其他东西，可以拿自己的东西去和别人换。

“小古斯，要不你明天再弄点黄瓜？”布爸爸还想着他的生意。

“看这会儿生意那么好，小古斯，拜托你了，再帮帮忙吧！”布妈妈说。

布爷爷接着说：“噢，对了，小古斯，我今天不小心把割草机弄坏了，帮忙修修吧！对你来说肯定是小菜一碟啦，是不是呀？”

唉，刚回到家，屁股还没坐热，就来了一堆活！他们一家人看样子越来越离不开我了。当然，我也不好意思拒绝，于是说：“那好吧，活儿都包在我身上了！”

第二天早上，布爸爸刚翻开报纸，就皱起了眉头。报纸头版赫然写着：

外星人造访地球?

布爸爸给我们读了一下这篇文章：

这周六，有人看到伯恩斯坦公司总部的窗台上坐着两个长相奇特的生物。其中一个是从别处飞过来的，两个生物坐在窗台上交谈了片刻。突然，人们看到其中一个从窗台上飞了起来，飞行高度离地面约有50米。路过的行人纷纷停下来，抬头观看。据目击者称，不明生物长着大象一样的鼻子，身上散发出非常奇怪的味道。它飞得越来越远，很快便消失在空中，人们再也没有看见它。

随后，记者就此事采访了伯恩斯坦先生，但他不愿透露这方面的任何信息。这难道是该公司吸引众人眼球的伎俩？抑或是外星人真的造访了地球？到目前为止，宇宙研究所就此事还未给出明确答复。

文章下面还附了两张照片。一张是我和Y9坐在窗台上的照片，照得非常模糊，还有一张是我从地球人头上飞过时，被人用手机拍下的。

“哈哈，这下子你可出名了！”布鲁诺喊道。

“瞎说！没人相信会有外星人存在，八成以为是伯恩斯坦故意搞的伎俩。我敢和你打赌！”布爷爷说。

接下来的几天，我仍旧缩成一丁点儿大，在小吃店帮忙变黄瓜。每次回到家，还有一大堆活儿要做：修割草机，和布鲁诺一块儿做作业，打扫房间，给布妈妈涂指甲油，等等。只有到了晚上，布家人都上床睡觉了，我才有点自己的时间。这时，我会坐在花园小屋里，写写报道什么的。我猜，编辑肯定特别期待我的地球报道。

从刚来地球到现在，我足足拍了六万四千张照片！我想好好整理一下，挑些有意思的发给杂志社，不过看来看去，我感觉都挺好的，最后干脆把所有照片都发了过去，让他们自己慢慢挑吧。

布鲁诺这个小鬼还经常缠着我，让我给他讲高尔奇星球上的事。每次给他讲的时候，他都好奇地看着我，听得很认真，生怕漏掉什么。我发现他对银河特别感兴趣。天气好的时候，从地球上也能清楚地看到银河。

“你什么时候回家？”他问我。

“等资料收集全了，我就回去，估计用不了几天了。”

“啊，真的吗？我想和你一块儿去，行吗？好想去高尔奇星球看看！”

“你敢一个人去吗？”我问。

“嗯，这有什么不敢的？男子汉大丈夫说到做到！说实话，天天待在地球上没啥意思，太无聊了！”

“没有啊，有时候也蛮有意思的！”我说。

当然我俩心里都清楚，他没法和我一块去。对地球人来说，飞到高尔奇星球可不是那么简单的事呢。我们的飞行速度超过光速，布鲁诺的身体肯定受不了。再说，高尔奇星球上也没氧气，这对他来说也是个不小的问题。

“唉，去不成你那儿，太可惜了！”布鲁诺叹了口气说。

其实，他对整个宇宙的了解很少。电影里那些关于外星人的资料，很多都是地球人凭空捏造的。他们竟然以为大多数外星人都是绿色的，头很大，眼睛就像煎鸡蛋。当然，宇宙中确实有这样的外星人，但并不是所有的外星人都是这副模样啊。

我告诉布鲁诺：“有些外星人，长得像植物，有长长的触须，他们很纤细，很脆弱，身上还有细细的毛。我还见过一些会发光的小外星人，他们生活在见不到光的地方，但是超级聪明，经常搞出一些很新奇的发明。”

“真的吗？”布鲁诺吃惊地问。

我给布鲁诺画的外星人。

“当然是真的了！不过也有些外星人看起来呆呆的，反应很迟钝，不怎么讨人喜欢。”

“小古斯，给我画画你见过的外星人吧！”布鲁诺请求我。

“好啊，我试试！”我一边画，一边说，“有一次，我去一个偏远的星球出差，恰好碰到了‘光生物’，他们可是顶呱呱的外星人：行为无可指摘，对人非常友好，从来不会伤害别人。他们是我们高尔奇人学习的好榜样，不过要达到他们那种程度，估计我们还要再奋斗几年。”

“那我们地球人呢？我们地球人什么时候能赶上‘光生物’？”布鲁诺问。

“说起来，你们地球人在宇宙中也很有名气呢，只不过是臭名昭著——用这个词儿可能语气有点重了，请原谅我这么说——瞧你们的科技和智力水平都这么落后，外星人根本就不喜欢和你们地球人来往。大家都感觉，从你们这儿也学不到什么有用的东西。尽管如此，我们《大爆炸》杂志社偶尔还是会报道些地球上的事，来娱乐娱乐读者。这样也挺有趣的。”

“啊，小古斯，你也觉得我们地球人没啥意思吗？”

“没有啊，这次来地球，我改变了先前对你们的看法。我发现地球上有好人也有坏人，人和人非常不同，每个人都有与众不同的地方。这些对我来说都挺有意思的。”

我们仰头望着璀璨的星空，无数小星星正朝我们调皮地眨眼睛。我指着一颗一颗的星星，给布鲁诺讲起了我的星际旅行。因为我是星际记者，经常出差去别的星系或星球，也算见多识广。我在很多星球上都有好伙伴，有空就联系一下，一块儿在宇宙中逛逛。

“很多人都不相信有外星人存在呢！他们以为那些亮晶晶的小星星只是用来装点夜空，或让人心生愉悦而已。”布鲁诺说。

这次，布鲁诺竟出奇地说了这么一句有诗意的话，可真不简单呢！

有一天早晨，我和布家人坐一块儿吃早饭。布妈妈对我说：“我看这段时间，布鲁诺学习进步很快。多亏了你，小古斯，有你在真好，还能陪着他学习。”

“他画画不错，他教我画画，我教他做数学题，我们俩相互学习。”我说。

“不过我看这小鬼还是有点儿贪玩，逮着游戏机比见了亲妈还亲！唉，再这样玩下去，脑子不出问题才怪！要换成我，估计早玩傻掉了！”布爷爷嘟嘟囔囔地说。他看起来精神不大好，可能昨晚没睡好。

“爷爷，你都这么大年纪了，怎么能和我们小孩比呢？我玩再多都没事！”布鲁诺说。

布爸爸突然把报纸凑到鼻尖上大声说：“快看！这儿有则广告，是伯恩斯坦那家伙登的。这下子算完了，咱们的生意也别做了！”

到底怎么回事？会不会和Y9有关系？我心想。

布爸爸看大家好奇的样子，就大声读起了广告：

伯恩斯坦快餐店 —— 新品上市！

伯恩斯坦家的神奇黄瓜

价格低到简直无法相信！

只有在我们家，您才能吃上这么物美价廉的神奇黄瓜！

绝对物美价廉，还等什么？快快来抢购吧！

“我早该料到了！”布爷爷说。

“这人还真麻利，不知道又在耍什么花样！”布妈妈大声说。

我隐隐约约预感到会有不好的事情发生。

布爸爸生气地说："唉，这家伙一旦大批量生产，肯定会把咱家的生意搅黄。我们可卖不到他那么便宜！"

很快我就知道了，事情果然和Y9有关系。没想到他还真有能耐，竟然在这么短的时间内，生产出了成千上万的黄瓜和西红柿。太不可思议了！

后来，布妈妈去超市买东西，顺便买了些神奇黄瓜和西红柿，想让大家尝一下。

大家一尝心里就明白了。这都是些什么呀，简直就是一堆垃圾，一点儿都不好吃！西红柿成了腥臊的橘子味或草莓味，让人很难下咽。那些神奇黄瓜也不怎么样，尝起来有点巧克力味，不过太甜了，腻腻的，也不脆。还有几根竟然有股大蒜味，真让人受不了！

"哈哈，瞧这堆破烂东西，难吃死了！便宜是便宜，可光便宜有啥用？"布爸爸搓着手，幸灾乐祸地说。

"就是，想用这种垃圾货和我们竞争，没门儿！"布爷爷在一旁说。

这下子我总算放心了，我的黄瓜比这些不知强多少倍呢！

"Y9根本没用心去做！他只想着在数量上超过我们，结果弄了这么多，也不好吃，真浪费！"我说。

布家人完全赞同我的观点。

“是啊，说得没错！只有小古斯才是真正的黄瓜大王！谁也没法和他比！”布鲁诺说。

一听这话，我又有了自信，继续帮他们做起了黄瓜。布爸爸把小吃店上的牌子悄悄换成了：

除了巧克力味、草莓味和香肠味的黄瓜，最近我还研制出了维也纳肉排味黄瓜。

第11章　营救Y9

几天后的一个晚上，我正在花园小屋里整理照片，突然听见布家人大喊大叫起来。我从小屋的窗户往外一看，发现他们正急匆匆地往外跑。

我打开门，好奇地看着他们。布鲁诺冲我喊道："快来，小古斯，小吃店着火了！"

噢，我的神啊！这可不是个好消息！我赶紧缩成一丁点大，藏到了布鲁诺的上衣口袋里。他带着我，飞快地朝小吃店跑去。我们到的时候，很多地球人围在餐车旁，看着熊熊大火，不知如何是好。斯特娜和她的家人也来了，就站在街的另一边。

真有意思，这些地球人就这样傻站着，也不赶紧想想办法。我看餐车的左边都快烧没了。火势正旺，伴随着一股股浓浓的黑烟。布家人呆呆地看着餐车干着急，布妈妈急得哭了起来。布爸爸扶着她，劝她不要再哭了，哭也没用。

“真该死！”布爷爷破口大骂。我看他双手握成拳头，心急如焚的样子。

一辆消防车鸣着笛开过来，停在马路边上。几个消防队员从车里跳下来，大声喊道：“退后！”接着，他们从车里拽出长长的水管，朝餐车喷起了水。

“你们都是这样做的吗？”我问布鲁诺。

“啊，你说什么？”

“我说，你们都是用水来灭火的吗？”

“是啊，那还能用什么？难不成让我们用嘴吹灭啊？”布鲁诺说。我看他也是一副很着急的样子，就没好意思再往下问。

用水灭火，还真有趣！这么小的火，在我们高尔奇星球上，用个小灭火弹就能扑灭了，根本用不着这么兴师动众！

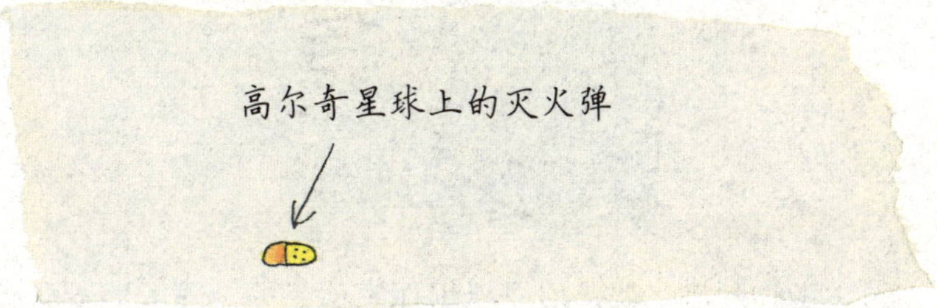

接着，传来一阵嘀嘟嘀嘟的声音，又一辆车停在了路边。这车比刚才那辆小多了，车顶上闪着蓝色的灯。布鲁

诺告诉我这是警车，里面坐的是警察。

布爸爸走到警察身边说："我姓布，那辆餐车是我家的。我知道是谁干的！肯定是伯恩斯坦那家伙！他竞争不过别人，就耍这种手段！"

警察拿出一个记录本，对布爸爸说："请您慢慢从头讲一下！"

"我敢肯定，就是伯恩斯坦那家伙干的，除了他不会有别人！"

"您有什么证据吗？"警察问。

“现在还没有，不过我们肯定能找到证据！伯恩斯坦一直想搞垮我们的小吃店，现在终于得手了！”布爷爷连忙说。

他挥着拳头继续说：“哼，这家伙，我要让他尝尝苦头，让他知道，我们也不是好惹的！”

“警察先生，请您立马逮捕他！”布妈妈说。

“对不起，布夫人，我们不能这么做。事情没调查清楚，我们不能随便抓人。不过请您放心，我们肯定会认真调查此事！”警察说。

过了一会儿，消防队员把火浇得小了一些，不过餐车还冒着火和黑烟。

我听布妈妈大声说：“幸亏没伤到人！对了，我们不是入保险了吗？”

布爸爸点了点头说：“对啊，我怎么就忘了呢？没错，保险公司会赔偿我们的损失。你看，什么事都有利有弊。我们的餐车都那么旧了，也该换辆新的了。”

突然，我想起来回去的时候还要给编辑带两根黄瓜，这下倒好，还没来得及打包，黄瓜就没了。不行，我要赶紧冲进餐车里找两根黄瓜。

事不宜迟，马上行动！否则就没机会了。我心想。

当然，我承认有时候我做事太鲁莽，欠考虑，其实我完全可以回去后再做几根黄瓜的。不过情势所逼，我一心想着那些黄瓜，于是从布鲁诺的口袋里爬出来，向餐车飞去。“我的黄瓜！可爱的黄瓜！我来了！”我的心里一直这样默念着。

滚滚黑烟迎面扑来，我也顾不上那么多了，一下子钻进了餐车。

“不！小古斯！”我听见布鲁诺在我身后大喊。

我飞进了滚滚黑烟中。

这是我听到的最后一句话。大火一下子就把我吞噬了，接下来发生的事情我就不知道了。

醒来后，我发现自己躺在花园小屋里的沙发上，布鲁诺和斯特娜坐在我身边。

“快看，他醒了！他在眨眼！”我听见斯特娜大声喊道。

“太好了，小古斯，你终于醒了！能听见我说话吗？”布鲁诺焦急地问道。

“别急啊，他才刚醒。”斯特娜说。这是她第一次见到我。以前布鲁诺老是让我躲着她。其实我倒觉得没什么，斯特娜看起来很可爱。我感觉她正用小手轻轻地抚摸我。

“瞧！他的另一只眼也睁开了。”她惊喜地说。

我的身体还是很虚弱，不过应该没什么大碍了。我试着张开嘴说话，结果支支吾吾好半天，才发现自己竟然不会说地球语了。难道语言模式出问题了？

“！家回想我”我小声用高尔奇语说。

我听斯特娜问：“布鲁诺，他刚才说的什么？你能听懂他的话吗？”

“唉，我也听不懂。”布鲁诺叹了口气说。

过了好一会儿，我想起了几个地球语单词儿。

“到底……怎么……回事？”我磕磕巴巴地说。

“你都昏睡两天了！看这儿都烧焦了！我一直守着你，祈祷你赶快醒过来。现在感觉怎么样？”布鲁诺指着我的身体左侧，担心地说。

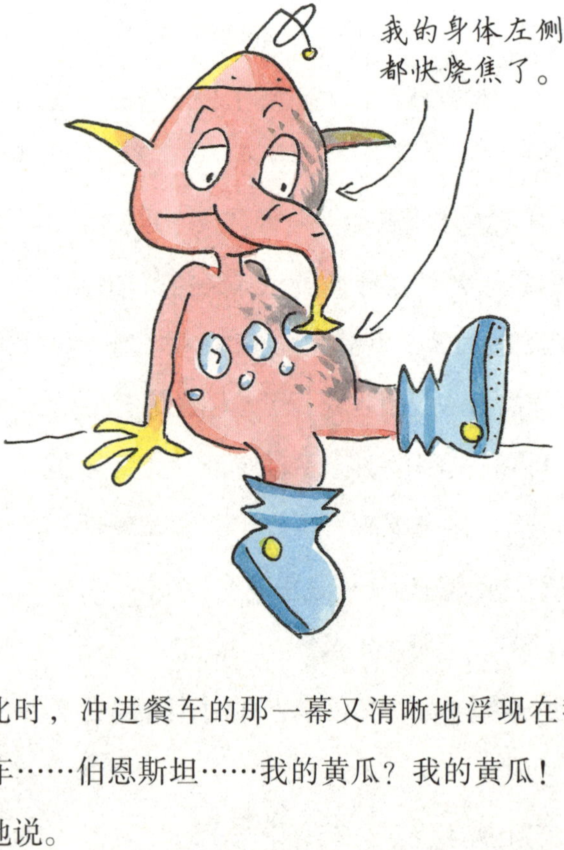

此时，冲进餐车的那一幕又清晰地浮现在我眼前。“餐车……伯恩斯坦……我的黄瓜？我的黄瓜！”我语无伦次地说。

“黄瓜？早烧没了！餐车都成一堆灰了。”布鲁诺伤心地说。

“是啊，那么多东西都没了，好可惜！”斯特娜同情地说。

我轻轻叹了口气。看来给编辑的礼物也没着落了。

布鲁诺突然很兴奋地说：“不过我们很快就能买辆新的，到时候你就可以再给我们做黄瓜了，说不定你还能想出别的秘方来呢！”

这时，我的主机自动调成了省电模式，看来我还需要好好休息。我小声说：“到那时候，我恐怕就不在这儿了，我想回家，回高尔奇星球……”我的声音越来越低，一会儿又昏睡过去了。

“小古斯，你说什么？”斯特娜把身子俯向我问道。在昏睡过去之前，我从她的眼神里看出，她很担心我。

“噢，天哪！他怎么了？”我模模糊糊地听到布鲁诺在问。

“他好像又睡着了。”斯特娜说。

不知什么时候，我突然被吓醒了。无线电收发机振动了一下，是Y9的紧急求救信号！这个爱抢风头的家伙到底想干吗？干脆忽视他的求救信号算了！但我转念一想：万一他真出了事，我不赶快去救他，他可能就完蛋了。

我打开无线电收发机，立马听到了Y9的呻吟声。听起来，他现在的处境很糟糕。

“我是Y9。我坚持不住了，快来救我！”

“怎么了？你现在在哪儿？”

“伯恩斯坦公司总部。”

“到底出了什么事？”我问。

“我把……整个温室的西红柿……都变形了……还有……一大堆一大堆的黄瓜！现在……我体内的能量都用完了……”

“我早就警告过你了，跟着那家伙没什么好下场！哼，这还不都是你自找的！”我没好气地说。

他一边呻吟，一边说：“救我！他们把我关了起来，就在……”

突然信号中断了。我大声喊道：“为什么把你关起来了？喂，还在吗？能听见我说话吗？”

耳边只传来一阵阵刺啦刺啦的声响。

“喂，Y9！Y3呼叫Y9！能听见吗？Y9，请回答！”

喊也是白费力气！我再也没听到他的声音。

刚才通话的时候，布鲁诺和斯特娜一直在旁边听着。他俩觉察出事情不大对劲儿。

“怎么了，小古斯？”布鲁诺担心地问。

“是我同事Y9。他把能量用光了，被关到了伯恩斯坦公司总部。我要赶快去救他，否则他会有生命危险。”

“噢，天哪！你打算怎么救他？”布鲁诺问。

“随机应变吧！先到那儿再说。”我回答。

“去伯恩斯坦公司总部？太危险了……”他提醒我。

我打断他的话，说：“我没有别的选择。我们高尔奇人，不管是碰到谁有危险，都要全力相救。”

“就你那个呆瓜同事，你也去救？”布鲁诺生气地说。

“是的，我必须去救他！”

“那好吧，既然你都这么说了，我们和你一块儿去！说不定还能帮上什么忙！”布鲁诺说。

他俩真好！虽然我感觉肯定不需要帮忙，但是有他俩陪着总比没有好呀，于是我立马爽快地答应了。

我用收发机又试了试，看看能不能联系上Y9，屏幕上总是显示没信号，我只好放弃了。

布鲁诺想了想说：“我们一定要小心，千万别让人发现了！小古斯，你赶紧缩小点，我们骑自行车带你去伯恩斯坦公司总部。到了那儿，趁人不注意我们就悄悄溜进去。如果谁敢挡路，你就让他尝尝激光枪的滋味！”

我点了点头。为了掩人耳目，我变成了一个自行车铃

铛。我身体还很虚弱，不过还好，变形成功了。

“哇，天哪！好神奇！”我听斯特娜吃惊地喊道。她还没见过我变形呢。

布鲁诺拿起我，夹到了车把上。一切就绪，营救行动开始！

布鲁诺很快就找到了去伯恩斯坦公司总部的路。不过在路上，我又遇到了点小麻烦——布鲁诺不停地按车铃铛，弄得我浑身痒痒。“别按了！别按了！我肚子好痒呀！”我大声喊。可布鲁诺好像没听见似的继续按。

终于到了一个红绿灯路口，布鲁诺停了下来。我趁机变回原形，缩成一丁点大，站在车把上。

“你怎么变回来了？”布鲁诺问。

“你老是按我，痒死啦！”

“嘿嘿，抱歉！这样不是好玩嘛！”他说。

很快，我们就到达了目的地。布鲁诺把自行车靠在大楼的墙上，把我从车把上拿下来，放进上衣口袋。我悄悄探出头来小声说：“我上次就被关在四楼的实验室，说不定这次Y9也在那儿。”

“我们真要去救他吗？”斯特娜谨慎地问。

布鲁诺眉毛一皱说：“哎呀，楼这么高，我们怎么上去啊？你看这里好多人，他们肯定不会轻易放我们进去。”

既然来了，总归要试一试！布鲁诺和斯特娜犹犹豫豫地走到了门口，往大厅里一瞧，哇——好多人啊！他们有的抱着材料，有的打着电话，急匆匆地走来走去。我立刻发现这里有好多手机！机会来了，我要好好充充电喽。我一口气就把12块电池的电吸了个精光，顿时感觉浑身舒服多了。

大厅正中央有张高高的桌子，后面坐着一个女地球人。

“你要先躲过前台那个人才行。”布鲁诺低声说。

“我去引开她！你俩赶快往楼上跑。”斯特娜说。

“等一下，让我想想！要不我一个人上去，你俩在这儿等着？这样安全一些。”我连忙说。

就在这时，我看到两个男地球人走进了电梯。

还有一个清洁工模样的地球人正推着小车，朝电梯走去。车上放着扫帚呀，水桶呀，抹布呀，等等。这些东西我在布家都见过，还经常用。

这个人好像也准备上楼。他按了一个按钮，站在旁边等电梯下来。

我灵机一动，赶紧对布鲁诺说：“我要变成一把扫帚。”

“为什么？”他吃惊地问。

“嘻嘻，就跟变戏法似的，真好玩！”我听见斯特娜说。

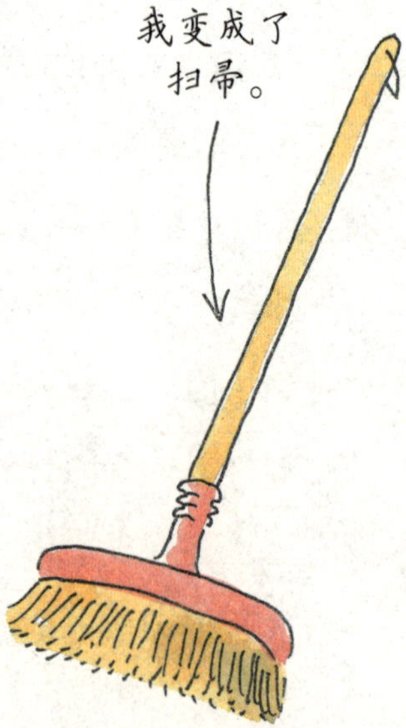

我立马变成了一把扫帚，啪嗒一声摔在地上。前台那个女地球人抬起头，吃惊地看了我们一眼。

斯特娜手疾眼快，拿起我就朝清洁工跑去：“嗨，叔叔，请等一下，您掉了扫帚！我这就给您拿过去！”

清洁工吃惊地看着斯特娜说：“啊？您从哪儿捡到的？这不是我的扫帚……噢，等一下，我看看……可能是我的……好的，给我吧，谢谢了！”说着他把我插到了车上。

“嗨，你们两个小家伙要去哪儿？”前台那个女地球人朝布鲁诺和斯特娜喊道。

“我们在这儿等人……”布鲁诺连忙撒了一个谎。

不一会儿电梯下来了。清洁工把小车推进电梯，门自动关闭，我就乘着电梯上楼了。布鲁诺和斯特娜没跟来，这样正好，我不想让他俩和我一块儿冒这个险。

到了二楼，电梯停了下来。清洁工推着小车走出电梯，准备打扫走廊。现在时机到了，我要赶紧变回原形！我可不想让他拿着我扫地！

砰的一声，变形成功！清洁工被吓得脸色苍白，踉踉跄跄地退了几步靠在墙根。他张开嘴想大叫，但是一声也没喊出来。我没时间和他解释了，救人要紧，快去找Y9！我穿过一道玻璃门，朝三楼飞去。

在楼梯上，我碰到两个地球人。他们看见我，立马大喊大叫起来。他俩扶着楼梯扶手，躲得远远的，然后呼哧呼哧地跑下了楼。有一个人把手机掉在了地上，手机骨碌一下滚了几个台阶。另一个地球人吓得腿直哆嗦，一不留神，也从楼梯上滚了下去。

我飞到四楼，轻而易举地找到了实验室的门。要是Y9也被关在冰柜里，可就糟了！我要抓紧时间！“等着我，Y9，一定要坚持住啊！”我在心里一直默念着。我赶快掏出激光枪，对着实验室的门迅速开了枪。啪啪啪啪——一阵枪响过后，实验室的门顿时成了一堆碎片，还腾腾地冒着烟儿。

我用激光枪把实验室的门打了个稀巴烂。

房间里坐着两个地球人。他俩看见我，立马站起来朝房间最里面的角落跑去。有一个人双手紧紧地扒着窗台，随时准备跳楼。

“我是高尔奇，古斯塔夫·高尔奇。我正在寻找同事Y9，你们知道他在哪儿吗？”我向他们解释道。

扒着窗台的那个地球人结结巴巴地说：“什么？谁？在哪儿？”

真搞笑，这些问题我要是知道，还来问他？我可没时间和他在这儿玩问答游戏！

我一看冰柜的金属门也锁着，于是拿出激光枪，啪啪扫射，门上立马出现了一个大洞，冰柜里的寒气迎面扑来。我的天哪，真是冻死人了！我又想起了上次被锁在里面出不来，还差点被切碎的事！真叫人火冒三丈！

“？面里在不在你，9Y”我大声喊。

没有人回答。

冰柜附近有几个塑料和铝制的箱子，旁边还有几个架子，上面摆放着一些大大小小的盒子。我仔细扫描了一下，没发现Y9的踪影。

看来他不在这儿！

我一转身，发现那两个地球人已经仓皇开溜了。我冲到门外的走廊上，听见几个地球人正叽里呱啦地说着什么。可能他们这会儿都知道我来了。有几个女地球人看见我，尖叫着跑回了办公室。真有意思，我长得有那么恐怖吗？我一直感觉自己长得挺可爱的。

就在这时，我又收到了Y9的求救信号。

“！里库仓的面下·在我”我听见Y9用非常虚弱的声音说。

“你怎么不早说！”我生气地回了一句。

我犹豫了一会儿，要不要坐电梯下去。不过我转念一想还是算了，万一引起更大的恐慌，可就麻烦了。于是我沿着楼梯往下飞，一路上又碰到了几个地球人，他们有的没看清楚我，不知道我是打哪儿冒出来的，还伸长脖子追着我看。

最后，我终于来到地下仓库。这里一个人也没有。我开了几道门，飞过供电室和几个杂物间，来到一道金属门前，门还上了锁。直觉告诉我，Y9就在这儿！

我掏出激光枪朝着门开始射击。啪啪啪啪！没一会儿，门就碎了。我走进房间，里面越走越窄。靠墙的地方放着很多架子、塑料桶，还有几把破椅子摞在一块儿。

透过一扇很小的窗户，照进来一线阳光。突然，我看到了Y9。他正可怜巴巴地蜷缩在角落里。

Y9看起来一副可怜巴巴的样子！

我喊了一声，他没答应。于是，我把他的身子转过去，让他背对着我，然后打开他背上的一个盖子，把能量传了一半给他。

我来得正是时候！要是再晚点儿，Y9怕是要一命呜呼了。说起来，我们高尔奇人的生命力相当顽强，不过Y9这次真是元气大伤。过了一会儿，我发现他的眼睛睁开了。谢天谢地！他总算挺过来了。

一场危险终于过去了！

我听到外面有很多地球人在吵吵嚷嚷。

“嗨，Y9，咱俩要赶紧离开这个鬼地方！”我对他说。

“嗯——”他拖着长音回了一声。听起来，他的身体还很虚弱。

他稍微动了动胳膊，像是要拥抱我。我慢慢扶起他，搀着他走出了仓库。Y9竟然也会有这么一天，紧紧地靠在我的胳膊上，这是我连做梦都想不到的！我们刚走进大厅，立马又引起了一片恐慌。那些地球人一看到我们，掉头就跑，跑得比流星还快！早知道我刚才就不变成扫帚了，就应该用现在这副模样，把他们都吓跑！

过了一会儿，不知从哪儿冒出来两个地球人保安。他俩举着老掉牙的手枪小心翼翼地朝我们走过来，哆哆嗦嗦地威胁道：“把手举起来！靠到墙边！不要乱动！”

“现在可有好戏看了！”我对Y9说。

“啊，什么意思？哪儿有戏看？”他问我。看来他的地球语说得真没我好，连这话都听不懂！不过这也难怪，谁让他天天待在麦田里数麦秆来着！

我也懒得和他解释了。我琢磨着要不要赶紧拿出激光枪，把这些人都解决掉。突然我意识到，自己变坏了！怎么能有这种想法，怎么能用枪去杀人呢？

就在这时，我在人群中看到了伯恩斯坦的身影。我刚才还想着怎么和这家伙算账呢，没想到他就自己送上门来了。他看起来一副很害怕的样子，气呼呼地冲着保安喊道："不要开枪！我还需要他们！"

保安乖乖地放下了枪。于是，我也没掏激光枪。肯定还有别的办法对付他们。要不我先用鼻子里的小星星试一试？反正小星星对他们也没什么害处。想到这儿，我就朝着恐慌的人群喷起了小星星。金色的小星星漫天飞舞，缓缓落在地球人的身上。就在这一刻，小星星产生了神奇的效果：地球人一下子放松下来，咯咯地笑着围成一个圈，跳起了欢快的舞蹈。

"多么美好的一天啊！"伯恩斯坦喊道，"现在大家好好休息一下！瞧外面的阳光多好，快出来晒晒太阳！"

"好啊，好啊！"大家笑着一起拥到了门外。

保安们把手枪插进套子里，手拉着手，蹦蹦跳跳地走下了大楼前的台阶。

"请让一下！"我对伯恩斯坦说，"我先过去一下。"

"当然可以了，请您先走！"他说，"亲爱的先生们、女士们，请大家让一下，让我们可爱的外星人先走！"

当我和Y9走出大楼时，布鲁诺和斯特娜正坐在外面的长椅上焦急地等着我。

伯恩斯坦笑着喊道：
“多么美好的一天啊！”

“小古斯，你终于出来了！那群人到底怎么了？”他们看见我就大声问道。

“我们家里见！”我冲着他俩喊道。现在我没时间解释了，我要赶紧把Y9带到一个安全的地方，因为楼下的地球人越来越多，好多人拿着手机不停地拍照。我真想把他们手机里的电全吸光，不过眼下我没时间了，就背着Y9迅速飞走了。

第12章　布家的好消息

“快把我放下来！”过了一会儿，Y9喊道。

我们落到一块草坪上，他从我背上跳了下来。

我吃惊地看到，他的脚好好的，根本就没事。

“好舒服呀！你以后也可以多背背我！”他说。

“什么？你能走路！”我气呼呼地说。

唉！这次又上他的当了！

“谢谢你！”Y9说，“多亏你给了我一些能量，其实我刚才就恢复了，就想让你背背我，嘻嘻。噢，对了，我想回高尔奇星球，今天就打算叫太空出租车。唉，我真是受够这群地球人了！”

“啊？”我突然觉得，在我的内心深处居然有点舍不得离开地球，于是吃惊地问道，“你怎么了？怎么走得这么急？”

“这儿太危险了，不是久留之地！”

“快告诉我，到底发生了什么？”我问道。

“伯恩斯坦果真是个大坏蛋，吩咐我干这干那，把我累垮了之后就不管了，干脆把我锁了起来……”

“我早就告诉过你！纯粹自找苦吃！”我生气地说，“你就是不想让我在编辑面前出风头呗！这下好了吧，搬起石头砸了自己的脚！”

“你怎么还落井下石呢？”Y9委屈地说，“我差点儿就没命了，你还幸灾乐祸地挖苦我！”

“好吧，我不说了。后来又怎么样了？”我问。

“伯恩斯坦那家伙看我没用了，还想方设法利用我来赚钱。他先把我锁起来，想包装一下再推向市场！他要把我卖给杂技团或电视台！对了，你知道什么是‘包装’吗？是用纸或塑料袋子包起来吗？”

“我看你是数麦秆数傻掉了！‘包装’就是打扮打扮你，再把你卖了！”我向他解释道，“地球人都围着钱转。我真不知道，钱到底有什么好，值得这么费尽心思地去赚。”

“伯恩斯坦说，他一大把年纪了，还没见过像我这么好心的外星人。”Y9略带自豪地说。

“什么？像你这么好心的……算了吧，就你这样的也算好心？我看他和你一路货色，只会溜须拍马！”我说。

“你怎么能这么说呢？”Y9慢条斯理地说，“对了，你的报道写完了吗？”

“快了！要不是你这摊子事，我早写完了！”

“明白了！唉，我的麦秆怕是永远数不完喽。都怪你！要不是你老骚扰我，我早就弄完了！”

这家伙又开始唠叨了，真是不可理喻！

“什么？我骚扰你？亏你想得出！”我大声说，“刚才要不是我，你早就没命了！”

“这是八竿子打不着的事！我看你是被地球的空气污染了，说话这么没逻辑！”

他这么一说，我还真没底气了。我俩争来争去，和地球上的泼妇没什么两样。不行，要克制自己，赶紧住嘴！千万不能在这些小事上大费口舌！

不过话说起来简单，做起来可就没那么容易了。Y9老是缠着我不放，他说：“我这个人不爱记仇，对你够好的了。麦秆没数完不要紧，等我一个人的时候，再从头数一遍就是了。”

“什么，你不爱记仇？那你刚才和我絮叨个什么劲？你要真是个做事坚持到底的人，还不赶紧数你的麦秆去，干吗在这儿瞎掺和！替人家弄了一大堆黄瓜和西红柿，别人也不领情，你说你做这些有什么意思呢？对了，你的黄瓜和西红柿难吃死了！我看你就数麦秆在行！”我想都没想，一下子就说了这么一大堆话。

“你给我住嘴！”Y9生气地喊道。

可是我俩根本就停不下来，你数落我，我数落你的，持续了好一会儿。我想，这肯定和地球上的脏空气有关系。最后我实在受不了他了，赶紧找了个借口想开溜。

我和Y9吵得这么凶，肯定和地球上的空气有关系！

“我先回花园小屋了，打算今天把报道写完。”我向他解释道，“等回了高尔奇星球再和你算账！”

还好，Y9这次总算同意了。

他想一个人待着，等太空出租车来接他。

“和我一块儿回高尔奇星球算了！这样节省能源。”他说，“还是想着给编辑省点儿吧！”

“不行，我还有点儿事要办，你先回吧！”我说。

其实我也该回去了，这次在地球上经历了那么多，肯定能写出一篇激动人心的报道。不过我想先回布家，和他们道道别，不辞而别显得多没礼貌。再说，我才不想和Y9坐一辆太空出租车呢。

回到布家花园，我看到布鲁诺和斯特娜正坐在小屋前焦急地等着我。他俩一看我回来了，立马缠着我让我讲刚才发生的事。

“小古斯，快说说你是怎么脱身的！”布鲁诺迫不及待地说。

“我是谁呀，古斯塔夫·高尔奇！谁有那么大的能耐能抓住我！”我得意扬扬地说。说完后，我又试着笑了笑。我们高尔奇人从来不笑，我也是来到地球后才开始学习微笑的。我努力活动脸上的肌肉，想做出笑的表情，可是肌肉太僵硬了，最后搞得笑不像笑，倒像做了个鬼脸。

笑还真不是那么简单的事呢！

听到我说话的声音，布家其他人立马从屋子里跑了出来。

“小古斯，你终于回来了！”布爷爷兴奋地说。

“布鲁诺刚才说，你去救呆瓜同事了。我们都很担心你，现在回来就好！”布爸爸说，“对了，告诉你个好消息，警察把伯恩斯坦抓起来了！我早就说餐车失火肯定是他干的。警察审讯的时候，他很快就如实招供了。他本来还想诬陷手下，说不是自己亲手放火烧的。不过，他的手下一口咬定就是他指使的。没办法，铁证如山，最后他还是承认了。哼，现在等待他的将是法律的制裁！当然，他还要给我们买辆新餐车。不错吧？我们选了一辆最新款式的，有五米长，柜台上有一排小灯，噢，还能做烧烤呢，简直棒极了！”

“现在你们可以重整旗鼓，东山再起了，真替你们感到高兴！”我说。

“你再来给我们帮忙吧！”布妈妈请求我。

“真不好意思，我马上就要回高尔奇星球了。”我说。

“啊——太可惜了！”她说。

“小古斯，你再多待几天嘛！”布鲁诺撒娇道。

“是呀，再多待几天吧！”斯特娜也附和道，“布鲁诺说你能用激光枪把石头击碎，这是真的吗？让我也见识一下吧！”

“很抱歉，这次真没时间了，等我下次再来地球时，一定让你好好见识一下！”我说。

“唉！没有你，我们怎么办啊？”布爸爸叹着气说，“论厨艺，谁也比不上你，谁也没你点子多，你要是就这么走了，我看我们的生意也没法做了！”

突然布鲁诺说：“没事，老爸，我来做！我也能想出好点子来，把那些东西弄得好吃点儿，可能我没小古斯做得那么棒，不过我相信肯定会越做越好！”

听了这番话，我感到非常欣慰。看来我在这一方面也给了他灵感。

“太好了！我能来帮忙吗？”斯特娜大声说。

“当然可以啦！我们要多变些花样，让这个店成为世界上最棒的小吃店！”布鲁诺陶醉地说。这时，我看到布爸爸对着儿子笑了笑。

“不错，有志气！”布爷爷说。

“小古斯，走之前，能不能帮我把客厅的窗帘挂上去？”布妈妈说，“反正你的弹簧臂可以自由伸缩，对你来说肯定是小菜一碟。”

“好吧，我很乐意！”说着我飞进屋，其他人也跟着走了进去。

斯特娜今天要和布鲁诺一块儿做家庭作业。布爸爸要去城里办点事，顺便看一下餐车。布妈妈把窗帘拿给我就急匆匆地走了，她要带小猫咪去看兽医。天哪，地球人还真忙，总有一摊子事要做。一点儿小事就能让他们忙得不可开交。唉，我走了之后，这家人可怎么过呢？

我窗帘还没挂完，布爷爷就吵着让我和他一起去花园。他要教我怎么修剪苹果树。忙完了之后，他还想和我在花园里下一盘象棋。虽然他从来没赢过我，但还是不厌其烦地让我和他玩。我从来不会手下留情，今天也是速战速决。走了没几步，我就把他将死了。布爷爷只好垂头丧气地回了屋。

终于没人来打扰我了。我回到花园小屋，继续写关于地球人的报道。

突然，我的无线电收发机响了。肯定又是Y9，烦死了！我再仔细一看，原来是编辑！她给我发了一条信息。说实话，我真没有想到会是她。

：3Y的爱亲

：1题问

？瓜黄根几回带算打你

：2题问

？了崩闹么怎9Y和你

：3题问

？我系联候时么什底到伙家这

：4题问

？吗了完写道报的人球地于关你

！些一细详必务，复回快尽请

，奇尔高回日早你盼

！你着等务任新有

！你候问

辑编

第13章　返回高尔奇星球

晚上，我坐在花园小屋里，周围非常安静。我先给编辑回了信息，接着写我的报道。写完后，我把报道连同六万四千张照片发给了杂志社，估计要等几个小时，才能收到确认回复。我叫了辆太空出租车，把所在位置的坐标告诉了租车公司。收拾完东西后，我躺在沙发上下载了几首高尔奇音乐。听着听着，我想起了家乡，想起了我的小屋，还有机器人小马莫步。

不一会儿，太空车就来了。我拿起背包，走出花园小屋，站在门前等着上车。太空车正准备降落。我突然感觉腿好疼啊，自从上次被火烧伤，我到现在还没完全康复。

我抬起头看到夜空中挂着一轮满月，还点缀着几颗小星星。我想象着过会儿就会从它们旁边飞过，飞回高尔奇星球。哇！好期待啊！

要不要再去和布家人道个别？我犹豫了一会儿，决定还是算了。时间不多了。再说我最受不了离别场面。就在这时，我突然想起来，我还有件很重要的事没做。我走回花园小屋，从架子上拿了个花瓶，把鼻子里剩下的小星星都喷到了里面。

我想，如果布家人再开店的话，说不定还能用得上。布鲁诺知道怎么用这些小星星，希望他能研制出新的配方，让小吃店的生意再火起来。

我把花瓶放到沙发上，拿起布爷爷的铅笔，写了一张字条：

谢谢大家为我做的一切！认识你们很高兴！你们都是很好的地球人。

朋友：小古斯·高尔奇

写完后，我又在字条上画了月亮、太阳和星星，这样它看起来很有外星风味。

太空出租车悄无声息地降落在花园里。它根据周围的环境，立马做好了伪装——车身变成了绿色，上面有很多植物图案。这么完美的伪装肯定能躲过地球人的眼睛。

这会儿，布家人都上床睡觉了。他们睡觉时还打呼噜，挺有意思的。

哇——一辆最新款式的科索太空车！飞行时，它根本不需要司机。关上自动挡，也可以手动驾驶。很酷吧！幸亏我来地球之前上过培训课，专门学了如何驾驶科索太空车。知识没有白学的，说不定什么时候就用上了。

我飞进车里，坐到软软的驾驶座上，发动太空车，舱门自动关闭，车慢慢升空。我缓缓地围着布家人的房子盘旋了一圈。透过窗子，我看见他们躺在床上睡得正香。布妈妈和布爸爸睡在一块儿，被子上趴着四只小猫咪。隔壁的房间里，布爷爷正坐在电视机前打瞌睡。小布鲁诺呢？他好像看着书就睡着了，枕头边放着一本翻开的书。他房间的墙上挂满了画，有他自己在绘画课上画的，还有我给他画的。看到布鲁诺甜甜地睡着，我突然不由自主地笑了一下。这一次，我感觉自己笑得很自然，很像地球人！

我打开涡轮机，太空车嗖的一下飞了出去。没几秒钟，我就穿过云层，离开了地球。

在路上，我给杂志社发了最后一条信息。

布鲁诺睡得正香。

：辑编的爱亲

，球地开离经已我

。奇尔高达抵将久不

，歉抱常非

。瓜黄带没我

。您候问

3Y

第14章　新任务

没过多久，我就顺利地降落在了高尔奇星球上。科索太空车缓缓滑进停车场。我走下车，飞过一道闸门，来到安检处。这是例行公事。每个来高尔奇星球的人，都要先经过这里，做个全身检查，看看有没有携带病毒之类的东西。

手续有点烦琐，害得我等了很长时间，因为我身体左侧受损很严重，极有可能感染到病毒，他们提取了我体内的组织样本，做了化验。为安全起见，他们还让我做了个康复理疗。还好，一切正常，我终于被放行了。

接着我飞到技术部，扫描了一下驱动系统，看看有没有感染病毒。这里的同事和我都很熟，尤其是工程师侯悠，她人很好，对我也不错。她看到我就立马走上前来打招呼："嗨，怎么样，Y3，又出差了？看起来有点疲惫呢。"

“嗯，去了趟地球。”我说。

“什么？去地球？你还真有胆量！我听说，那儿的人很危险……”侯悠说。

“嗯，有的确实很危险，不过也不能一概而论。我认识几个地球人，他们都挺好的。下次咱俩一块儿去吧！”

“我不去！你知道，我不喜欢长途旅行。”

她很快就把我的身体左侧修好了，还给我格式化了硬盘，修了修语言存储器，换了块电池。

离开技术部，我感觉精力充沛，像换了个人似的。我把主机调至省电模式。刚才侯悠在我体内安的通风设备吹出阵阵温暖宜人的风。

飞行器还在老地方等着我。我坐进去输入小屋的坐标，飞行器就自动起飞了。经过长途奔波后，坐着飞行器回家，是我最开心的一刻！

我飞过一大片紫色田野。在远处的地平线上，14座活火山正吐着烟，给人一种非常威严的感觉。磁悬浮光能轨道上亮起很多耀眼的小灯，下班时间到了，估计交通一会儿就要被堵死了。真不爽！

我靠在座位上，听着高尔奇音乐，尽量让自己放松下来。

离开光能轨道，我的眼前顿时出现了许多彩灯，那是高尔奇居民特意放在屋顶上用来装饰的。看上去好美呀！

我的飞行器加速前行。我飞越黄色的河、紫色的田野，拐上了黑色的平原。离家不远了！

平原上面，有一些悬浮小屋正寻找着合适的降落地点。说实话，我不太喜欢这些小屋。它们飞来飞去的，没有固定的地方，也没有固定的邻居。

我这个人不怎么喜欢居无定所，大概也是因为工作的关系吧！我经常出差，老在外奔波，因此就想有个固定的家，好歇歇脚。

我看到有几个高尔奇人正骑着当下非常流行的卫露牌踏板车。说起交通工具，高尔奇星球比地球先进多了。我们有太空滑翔机、太空投掷舱、光能飞机、球形运输车，等等。

现在，高尔奇的空中正变得越来越挤。五花八门的飞行器飞来飞去，横冲直撞，也没人来管，真让人头疼！

或许，我们可以引进地球上的交通法规，设置些红绿灯，再安排几名高尔奇警察执勤。这想法不错！下次开会的时候，我要和编辑说说。

过了一会儿，飞行器准确地降落在我的小屋屋顶上。

我还没打开屋顶上的小门，就听见屋子里传来机器人小马莫步的声音，它正甜甜地向我问候，让我顿时有了一种家的感觉。

我和机器人小马莫步打了声招呼，就飞进了“惬意厅”。我要先在这儿洗个星星浴。这种星星浴设备可不是每个高尔奇人都有的哟，我这个还是编辑送的，其实她人挺不错的。

洗完星星浴，我拿了块披油吃了起来。啊——这种熟悉的味道，真是久违了！

吃饱后，我打算去一下暗室，在那儿可以暂时忘记时间和空间。不过我转念一想，还是先去“水晶厅”吧，可以坐在悬浮椅上看会儿电影。我想都没想，决定再看一遍《成千上万颗陨石撞击高尔奇星球，还好没造成任何损失》。

这个电影我已经看了不下十遍了，真是百看不厌。

突然，我又想起了刚降落在地球上时，布家人正在看的那部电影。里面的血腥场面简直惨不忍睹！还好在地球人的真实生活中，很少出现这种场景。这次去地球出差，真刺激！还好有惊无险，让我捡回一条小命。

我还从地球人那里学到了很多东西，每次想到这些，我都会很开心。虽然旅行充满了未知，充满了风险，但它也让我的生活变得更加丰富多彩。或许这也正是旅行的意义所在吧。

我心想：要不要邀请几个高尔奇朋友来家里做客呢？可以给他们讲一下我的地球大冒险，让他们看看我拍的六万四千张照片。但我转念一想还是算了，改天吧，反正以后也有时间。明天一大早还要去杂志社。今天我想一个人待在家里，好好享受一下这份只属于我的宁静。

我刚要准备去看电影，无线电收发机就响了。编辑发来一条信息：**“？去想不想你，道报行进球星号86去者记名一要需”**

噢，天哪！68号星球那么远！我刚从地球回来，实在没兴趣再跑那么远的路了。要不让Y9去好了，我在地球上帮了他大忙，还救了他一条命。

不过我转念一想，去68号星球也不错。这个星球在宇宙中名声很好，那里的人特别聪明，听说天气不冷不热，很舒服。

我还是仔细考虑一下再说吧。

附　录

想不想自己做点意大利面呢？

这里有三种做意大利面的方法，有兴趣的话不妨试试哟。所需的配料地球上都有，我列出的分量大约够四个地球人吃的。如果你像我一样不大会做饭的话，也可以找个年纪大点儿的地球人来帮你。

经典番茄意大利面

材料：

意大利面	400克
小番茄	750克
蒜瓣，切成片	4个
洋葱，切成细丝	1个
牛至	1小把

橄榄油　　　　　　3汤匙

菠菜叶　　　　　　50克

里科塔奶酪（意大利的一种乳清干酪）200克

巴马干酪　　　　　75克

盐　　　　　　　　适量

黑胡椒粉　　　　　适量

意大利的一种乳清干酪

做法：

1. 把烤箱调至180度预热。

2. 做番茄酱。把小番茄、洋葱丝、大蒜和牛至放到一起，拌匀，放进烤箱，加热约25分钟。

3. 煮意大利面。

4. 意大利面煮熟后，把水倒掉，浇上刚从烤箱中取出的酱汁。根据个人口味放适量盐。

5. 放入菠菜叶和里科塔奶酪，

地球人用的餐具

搅匀。放巴马干酪，洒少许黑胡椒粉。

6. 把做好的意大利面分到盘中，开吃！

鼠尾草意大利面

材料：

意大利面	400克
新鲜的鼠尾草叶子	10片
橄榄油	4汤匙
黄油	30克
松子	40克
巴马干酪粉	75克
盐	适量
黑胡椒粉	适量

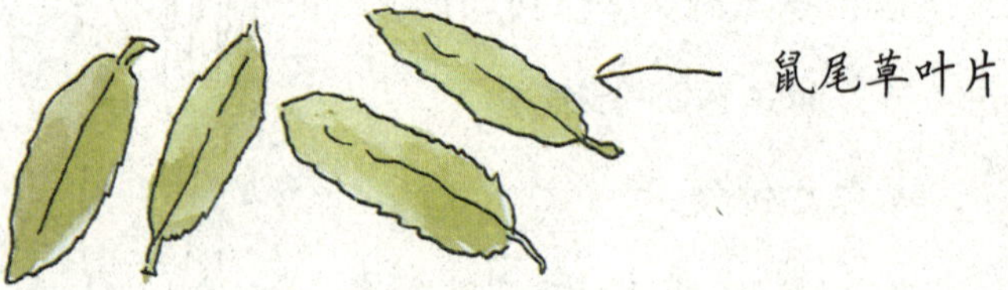

做法：

1. 煮意大利面。多放水，水里加一汤匙盐。

2. 面煮熟后，把橄榄油和黄油放入锅中加热。放入鼠尾草叶片，稍煎片刻。

3. 放入松子，煸炒一下。

4. 把意大利面沥干水后，倒入锅中。多撒些巴马干酪粉，放少许盐和黑胡椒粉。

5. 拌匀，分到盘中，开吃！

卡邦拿白汁意大利面

材料：

意大利面	350克
地球上的鸡下的蛋	2只
橄榄油	1汤匙
黄油	1汤匙
培根，切成小丁	100克
蒜瓣	1个
巴马干酪粉	80克
盐	适量
黑胡椒粉	适量

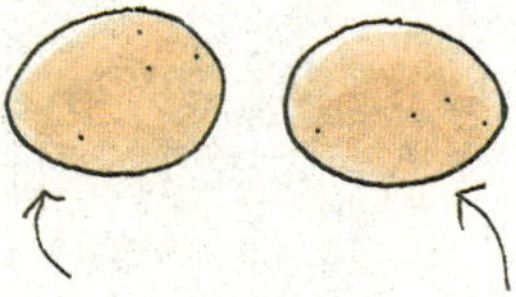

地球上的鸡下的蛋

做法：

1. 煮意大利面。多放水，水里加一汤匙盐。

2. 把鸡蛋打入碗中，用叉子搅拌均匀。

3. 把培根切成四方形的小丁。

4. 拿一只大平底锅，放入橄榄油和黄油，加热。把培根丁和蒜瓣放入锅中煎一下，再把蒜瓣取出。

5. 把煮好的意大利面沥干水，倒入锅中。

6. 把搅匀的鸡蛋倒入锅中，撒上巴马干酪粉和黑胡椒粉。搅拌均匀，根据个人口味放盐。

7. 把意大利面分到盘中，开吃！

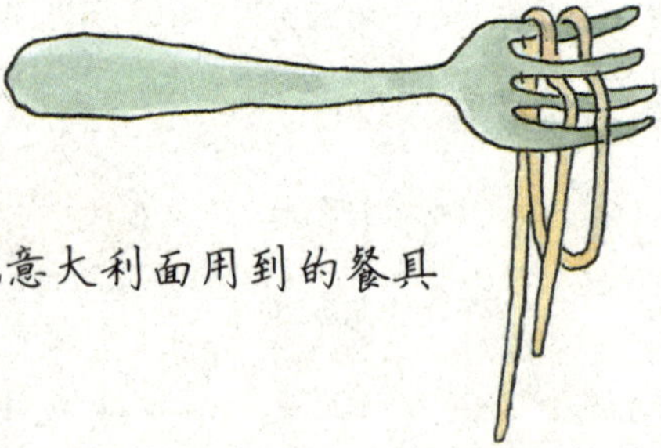

吃意大利面用到的餐具

！口胃好你祝！心·开天天你祝后最

斯古小·

图书在版编目（CIP）数据

高尔奇星球：初来地球 /（德）埃哈特·迪特尔著；王丽丽译．—南京：译林出版社，2022.1（2025.4重印）
ISBN 978-7-5447-8855-7

Ⅰ.①高… Ⅱ.①埃… ②王… Ⅲ.①儿童小说－长篇小说－德国－现代 Ⅳ.①I516.84

中国版本图书馆 CIP 数据核字（2021）第 202204 号

著作权合同登记号　图字：10-2021-471号

高尔奇星球：初来地球　[德国] 埃哈特·迪特尔 / 著　王丽丽 / 译

选题策划　高谈童书馆
责任编辑　宋　旸
特约编辑　宣慧敏　吴雪琦
装帧设计　陈忆航
插图作者　[德国] 埃哈特·迪特尔
校　　对　孙玉兰
责任印制　单　莉

出版发行　译林出版社
地　　址　南京市湖南路 1 号 A 楼
邮　　箱　yilin@yilin.com
网　　址　www.yilin.com
市场热线　025-86633278
排　　版　南京展望文化发展有限公司
印　　刷　安徽新华印刷股份有限公司
开　　本　889 毫米 ×1270 毫米　1/32
印　　张　6
插　　页　4
版　　次　2022 年 1 月第 1 版
印　　次　2025 年 4 月第 3 次印刷
书　　号　ISBN 978-7-5447-8855-7
定　　价　35.00 元